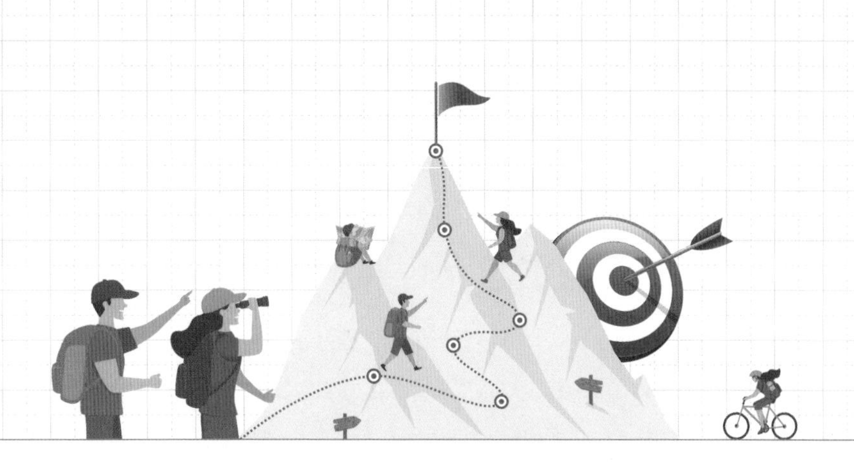

こども目標達成教室

★夢をかなえるために何が必要なのかがわかる本★

KANZEN

よい目標を持つことが あなたを素敵な日々へ導いてくれる

この本は、夢をかなえるために何が必要なのかについて、一緒に考えてみましょうというものです。人のふるまいについて実際にデータを集めて調べる「心理学」に基づいて監修のコメントを行っていますし、スポーツ選手や偉人のインタビューや人生も紹介されています。

「目標」とは、あなたにとってどんなものでしょうか？　はっきりとした目標を持っているよという人もいるかもしれませんね。また、そもそも考えたことがないという人もいるかもしれません。目標を決めてしまったら、なんだかそうしないといけないような気がするから、嫌だという人もいるかもしれません。私自身、どれも経験したことがありますから、みなさんもきっといろいろな考えをお持ちではないかと思います。

それでは、目標を持つことには何かいいことがあるのでしょうか？　また、目標を達成するためには、何か効果的な考え方や取り組み方があるのでしょうか？　よければ、ここで少し考えてみませんか……心理学によると、「よい」目標を持つことにはとても素敵な効果があることがたくさんの実証研究によって明らかにされています！　よい成果が得られやすくなるというだけではありませんよ。毎日を充実して、わくわく過ごすことができるようになったり、失敗や挫折のダメージから心を守りやすくなったり、尊敬しあえる仲間と出会えるようになったりするかもしれません。

ただし、大切なことがひとつあります。ただ目標を立てればよいのではありません。目標には、「効果的なよいもの」と「あまり効果的とはいえないもの」があることが心理学の研究によって明らかにされています。あなた自身の経験でも、きっとそうではないでしょうか。すごくやる気になった目標もあれば、ぜんぜん気が進まなくて、辛い目標もあったのではないでしょうか。なぜ、そうだったのかを深掘りできれば、あなたはやる気の上がる目標を立てて、それをうまく追い求め、よい成果や成長、充実感を得ることができるようになると考えられます。

コロンビア大学のモチベーション心理学者のハルバーソン先生は、「目標を成しとげる力はだれでも高めることができます。だれでもです！」というお話をされています。私もその通りだと思います。目標を立てたり、そのための計画を考えたり、心を燃やして、努力を重ねていくためには、まず、優れたやり方についての「知識」があるとよいと思います。心のトリセツですね。適切なやり方がわからなければ、うまくやるのは難しいですよね。また、目標を立て、心を動かすための「練習」も大切です。本を読んだだけで、急にピアノやサッカーがプロ級になる人がいないのとまったく同じです。目標への取り組み方も、いろいろなことを知ったうえで、自分で試してみるなかで、上達していくのです。

目標を成しとげる力は、長い人生のなかで、ずっと問われ続けます。高校受験や大学受験、部活動やサークル、就職、仕事、趣味、ダイエット、恋人や仲間とのつながり……すべて目標を成しとげる力が役立ちます。この本を読んで、一緒に考えてみませんか？

奈良女子大学文学部人間科学科准教授
竹橋洋毅

【もくじ】

【もくじ】

第6章

失敗を恐れずに行動を起こす

第1章

目標について考えたことはある？

1

将来どんな人になりたいか考えたことはある？

★理想的な自分を考えてみよう

「将来どんな人になりたい？」と聞かれたら、あなたはなんて答えますか。「三笘薫選手のようなサッカー選手になりたい」という人もいれば、「橋本環奈さんのような女優になりたい」「お父さんみたいなサラリーマンになりたい」など、人によってさまざまな答えがあるでしょう。一方で「想像がつかない」という人や、「そんな先のことはわからない」という人もいるかもしれません。

答えがすぐに浮かばない人は、これまで考える機会がなかったり、そうすることの意味を見い出していなかったりしているのかもしれません。具体的な職業でなくても、「食べるのが好きだから食に関する仕事がしたい」でもいいですし、「ポケモンが好きだからゲーム製作にかかわることがしたい」でもいいのです。また、職業関連以外でも「幸せな家族をつくりたい」や「楽しく生きたい」でも「たくさんの友だちに囲まれたい」でもかまいません。

そう言われてみるとなんとなく「こうなりたいなあ」という自分が目指したい理想像が思い浮かんできませんか。そうしたら、その願望や理想像を実現するためには、今の自分に何が必要なのかを考えてみましょう。その必要なものがあなたの目標になるのかもしれません。

将来について考えたことはある?

10

考えてみよう

- 将来なりたいものはある?
- 夢をかなえるためには
どうしたらいいのか考えたことはある?

2

新年に立てた目標を達成したことはある？

★新年の目標は多くの人が達成できない

冬休みの宿題や家族と正月を過ごしているときの話題など、新年の目標を立てたことはありますか。また新年の目標を立てたことはあっても、その目標を達成できなかったという経験はありませんか。

じつは新年の目標を達成できないというのは珍しいことではありません。周りの人に聞いてみても新年の目標を達成できたと自信を持って言える人はあまりいないのではないでしょうか。新年の目標を立てるときは「この目標を達成したい」という気持ちが少なからずあったはずです。それなのに目標を達成できていないのは不思議ですよね。

目標を達成できない理由はさまざまです。たとえば、単純に忘れてしまうという人もいるでしょう。目標そのものを忘れていなくても、目標を立てた当初の「達成したい」という気持ちがいつの間にかうすれてしまったという人もいるはずです。また、最初のうちは目標に向かって行動していたのに、途中で目標達成は難しいと感じて気持ちが折れてしまい、目標に向かう気持ちがなくなってしまったという人もいるかもしれません。

なぜ目標を達成したいという気持ちがあったにもかかわらず、目標を達成することができなくなってしまうのか考えてみましょう。

新年の目標を達成するのは難しい

1月
目標
早起き!!
2月

考えてみよう

- 新年の目標を達成できたことはある？
- 目標を達成するにはどんなことをすればいいのか考えてみよう！

3

理想の自分の姿を想像するとワクワクしない?

★理想の自分になるためには何が必要?

なりたい自分になった自分を想像してみてください。気の合う仲間と楽しく過ごしている姿や、部活で活躍するシーンを想像したり、充実した日々を過ごしている自分の姿を想像してみましょう。なんだかワクワクしませんか。

もちろんそれらを実現するためには、苦しいこと、辛いこともあるだろうと想像し、ためらう気持ちも生まれてくるかもしれません。ですが、じつはその苦しさや辛さのなかにも楽しさ、おもしろさが隠されていることがあります。たとえば、勉強するのは苦手だと感じている人でも、解けなかった問題がわかるようになったり、先生の質問に答えられるようになると楽しい気持ちが生まれてきませんか。勉強の楽しさやおもしろさがわかれば、テストの点数が上がってうれしくなるのはもちろんのこと、学校に行くこと自体がより楽しくなり、日々の生活が充実したものになってくるでしょう。

そう考えると理想の自分になるための道中も苦しいことや辛いことばかりだけでなく、楽しいこと、おもしろいことも多いんじゃないかと思えてワクワクしてきませんか。理想の自分になるために行動をするとどんな充実感を得る日常が待っているかを想像してみましょう。

ワクワクする理想の自分を想像しよう

理想の自分
ワク
ワク

考えてみよう

- できなかったことができるように
なれたらワクワクしない？

4

挑戦することを怖がったことはない？

★挑戦する価値を感じたらやってみよう

初めて補助輪なしで自転車に乗ろうとしたとき、「転んだら痛そう」「ちょっと怖い……」とビクビクしたのではないでしょうか。一方で、補助輪なしの自転車をスイスイと気持ちよく乗り回せるようになった自分の姿を想像してワクワクもしていたでしょう。

そして実際に乗れるようになると、「最初は怖かったけど、練習してよかったな」と思ったはずですし、「なんであんなにビクビクしていたんだろう」と不思議な気持ちにもなったかもしれません。

これまでに未知の体験に挑もうとしたとき、「失敗したらどうしよう……」と尻込みした経験がありませんか。でも、それを乗り越えられると「やってよかった」と思ったはずです。同時に「少しぐらい怖くたって挑戦すればどうにかなる」という自信もついたのではないでしょうか。逆にもし挑戦しないままだったら周りの友だちから取り残され、小学校高学年なのに「自分だけが補助輪付き」だったかもしれません。その状況のほうがよほど怖くないでしょうか。

「絶対に無理」と思っていることはなかなか挑戦しようとは思えませんが、怖くて挑戦できなかったことで今も気になっていることがあるなら、それはあなたにとって挑戦する価値があることかもしれません。

最初は怖くてもやってよかったと思わない？

ヨロ
ヨロ

考えてみよう

- 怖くて挑戦できなかったことはある？
- 挑戦を乗り越えたときはどんな気持ちになった？
- 挑戦するにはどうしたらいいと思う？

5

本当はできるのにやらないのはもったいない

★できることは挑戦してみよう

友だちのAさんはテストではいつも高得点を取っています。しかし、けっして授業中に手をあげません。クラスメイトたちは「自分は手をあげたいんだけど、いつもわからないから手をあげられない……」「もし自分がAさんだったら、どんどん手をあげまくるけどなあ」など、Aさんが手をあげないことを不思議がっていました。

その謎を解明しようとAさんに聞いてみると、「挙手して答えたら間違えたことがあって、それから手をあげられなくなった」と言います。一度の失敗によって挙手することが怖くなっていたのです。

そもそもまったく失敗しない人などいません。それなのにAさんは「自分はいつも正しくないといけない」「自分は間違ってはいけない」と失敗してはいけないと強く感じてしまうようです。

一度失敗すると「また失敗したらどうしよう」と考えるのは当然です。しかし、失敗を恐れたところでどうせ人は間違います。もしちょっとした失敗であきらめた経験があるのなら、それはもったいないことかもしれません。そんなことを繰り返していたら、将来できることがどんどんなくなってしまうからです。それなら勇気をふり絞ってもう一度挑戦してみるのもいいと思いませんか。

失敗するのは恥ずかしい?

間違い…

考えてみよう

- **ちょっとした失敗でそのことをまたやるのが怖くなってしまったことはない?**
- **挑戦するにはどうしたらいいと思う?**

6

失敗はじつは宝物かも?

★失敗を他人のせいにしていない?

あなたの友だちのAさんとBさんは、テストの前の日についついゲームをしてしまい、テストで悪い点数を取ってしまいました。Aさんは「ゲームをやってしまったのが原因だから、次のテストでは同じ失敗を繰り返さないぞ」と自分の行動を振り返りました。しかし、Bさんは「今回はちょっと調子が悪かったんだ」と自分の行動が悪かったと思っていません。

失敗したときにAさんのように「なんでこんなことをしたんだろう」と考えたり、「もう二度と同じことはしないぞ」と反省する人とBさんのように「今回は調子が悪かった」と考えている人では、次のテストのときにどんな行動の違いがあると思いますか。Bさんのように自分の行動は悪くないと思うことは簡単ですし、プライドを守るうえでも役立ちそうですが、同じ失敗を繰り返してしまうかもしれません。Aさんのように失敗の経験から自分の何が悪かったのかを冷静に考えると、同じ失敗を繰り返さないように学ぶことができます。

あなたは失敗したときに原因はどこにあるか考えたことはありますか。また、失敗したときに自分の行動を変えたことはありますか。変えたことがあるなら、なぜそうしたのかを思い出してみましょう。

失敗したら振り返ってみよう

テスト前
もう同じことはしないぞ!

考えてみよう

- 失敗した原因を人のせいにしていない?
- 失敗したとき何が原因なのかをしっかりと考えている?

COLUMN

夢をかなえた強い意志 / 三笘薫選手

イングランドのプレミアリーグで活躍する三笘薫選手は子どもの頃からサッカー選手になることを夢見ていました。

小学生の頃にはリフティングを100回以上できるようになっていましたが、最初は失敗の連続でした。しかし、失敗して悔しい思いをして、どうしてうまくいかないのかと自分なりに原因を考え挑戦し続けた結果、リフティングがうまくできるようになりました。辛い思いをしながらも嫌だとは感じなかったのは、「サッカーがうまくなりたい」という強い意志があったからだといいます。

三笘選手は目標を立てることはとても重要だと考えている一方で、「大事なのは目標の設定そのものではなく、ゴールに向かって自分の背中を押すことができる【強い意志】を発動させることなのだ」と自身の著書で語っています。

このように「何がなんでも夢をかなえたい」という強い意志が彼を練習に強く打ち込ませ、それを苦とも思わなかった結果、今の三笘選手の活躍が実現しているのです。

世界で活躍する三笘薫選手

第2章

夢をかなえるための目標を考えよう！

1

「目標設定理論」を意識して目標を立ててみよう

★目標の立て方でモチベーションが変わる

いきなり「目標を立ててみよう」といわれても、どんな目標を立てればいいのか悩んでしまう人もいるでしょう。そんなときはモチベーションを高める目標を設定することを意識してみましょう。アメリカの心理学者エドウィン・ロックとゲイリー・レイサムが提唱したモチベーションに関する「目標設定理論」というものがあります。その理論では「明確で困難な目標であるほど、パフォーマンスが高くなる」とされています。つまり「ベストを尽くせ」のようなあいまいな目標よりも「1日2時間勉強をする」「1日1万歩ウォーキングする」のような具体的な目標のほうがパフォーマンスが高くなると考えられています。さらに目標が困難であるほど、乗り越えるべきハードルが高くなり、それを乗り越えるための努力を引き出しやすくなります。

効果をアップさせるためには「自分にとって重要で、できると思えるものにする」ことが有効です。目標を達成した状態が自分にとって重要なものであれば本気で取り組みやすくなりますし、目標が自分ならできると思えるものであれば、モチベーションは上がり、粘り強く努力できます。またフィードバックがあると、目標に向かう途中で改善点を見つけて修正できるので取り組みがもっと効果的になります。

目標を考えるうえで大切な要素

明確性	目標は明確で具体的に設定する必要があります。数値化できるものは数値化することで「目標達成に向けてやるべきこと」が明確になります。
困難度	困難な目標ほどモチベーションを高め、パフォーマンスが向上します。現状では難しくても「がんばればなんとか手が届く」難易度が適切といえます。
重要性	目標を達成した状態が自分にとって重要なものであることが大切です。それによって「本気になり意欲的に取り組める」目標になります。
自信	「努力しても無理だ」と思ってしまう目標に対してはやる気になれないので、「自分ならこの目標を達成することができる」と思える目標を立てることが大切です。
フィードバック	自分の行動を定期的に振り返り、進捗や状況の確認を行い、改善点や課題を明確にします。ときには目標や計画の修正を行い、今後の行動を変化させます。

目標設定理論を参考にした目標づくりをすることで、モチベーションが向上するだけでなく、努力の方向性が明確になり、ムダなく効率的に行動することができます。

考えてみよう

- どんな目標を立てればいいのか悩んだことはない？
- どんな目標だとやる気が出るか考えたことはある？

2

あいまいな目標ではなく具体的な目標を立てる

★ゴールをしっかりとイメージする

「成績を上げたい」や「やせたい」「速く走れるようになりたい」といった目標についてどう思いますか。パッと見ると目標らしいことが書かれていますが、じつはこれは達成が難しい目標です。なぜなら、どうなったら目標を達成したことになるのかがわかりづらいからです。

たとえば「成績を上げたい」という目標を立てた場合、どれくらいまで成績が上がったら目標を達成したことになるのかがわかりません。今までテストで60点しか取れなかったのを70点取れるようになったら目標達成なのか、それとも100点取れるようになったら目標達成なのかはっきりしないので、ゴールが見えない状態で勉強を続けていくことになります。

具体的な目標なら達成できたかどうかがはっきりします。テストで90点取ることが目標なら、90点取るためにはどんな勉強をすればいいのか、テスト中どんなことに気をつければいいのかなど、目標に向かって何をすればいいのかという計画が立てやすくなります。

そのほかにも、目標を具体的にすると目指すものがはっきりとするので、目標に向かう情熱もアップします。もしあいまいな目標を立てていることに気がついたら、具体的な目標に考え直してみましょう。

具体的な目標を立てよう

具体的な目標だと

算数で90点を目指そう！

ケアレスミスをなくそう。

計算練習は毎日やろう！

95点取れたし目標達成ね！

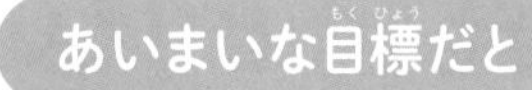

あいまいな目標だと

算数の成績を上げたいな。

成績が上がるように勉強しよう。

テストの点数は上がったけど、これで目標達成でいいのかな？

あいまいな目標だと目標が達成できたかどうかの判断が難しいです。具体的な目標を設定したほうが、達成感が得られます。

考えてみよう

- あなたの目標はどうなったら達成なのかをイメージできている？
- あいまいな目標を具体的な目標に変えよう！

3

具体的な目標づくりに役立つSMARTの法則

★5つの要素を意識して目標を立てよう

具体的な目標を立てようとしてもどんな目標なら具体的な目標になるのか迷ってしまう人もいるでしょう。そんなときに役立つのは「SMART の法則」です。

・**Spwcific（具体的に）**……明確で具体的な表現や言葉で目標にする
・**Measurable（測定可能な）**……測定しやすい目標にする
・**Achievable（達成可能な）**……がんばれば達成可能な目標にする
・**Relevant（関連性のある）**……なんのための目標なのか
・**Time-bound（期限がある）**……期限を設定した目標にする

この５つの条件をそろえると具体的な目標になり、目指すべき目標がはっきりします。目標達成に向けての行動も具体的になるので、目標達成の成功率もぐっとアップします。

たとえば「やせる！」という目標ではなく、「夏に向けて８月までに３kg やせる！」という目標なら、上の５つの条件を満たしている目標だといえます。一方、「１か月で 10kg やせる」のような目標は、がんばれば達成可能な目標ではなく、なんのための目標なのかもはっきりしていないので条件をそろえているとは言えません。努力すれば達成できるラインを考えながら目標を立ててみましょう。

「SMARTの法則」を使って目標を立ててみよう

S	M	A	R	T
Spwcific	Measurable	Achievable	Relevant	Time-bound
具体的に	測定可能な	達成可能な	関連性のある	期限がある

5つの条件をそろえた目標を設定する

● 「SMARTの法則」で考えるよい目標と悪い目標
→ 例）漢字の書き取りテストに向けた目標

よい例

目標 来月の漢字の書き取りテストのためにテスト３日前までに範囲内の漢字を全部覚える

● 具体的な目標で、期限もはっきりしていてやるべきことが明確なので、達成できる可能性が高い！

悪い例

目標 漢字の勉強をがんばる

● 「いつまでにやるのか」「なんのためにやるのか」「どれくらいがんばるのか」などが設定されていない！

5つの要素が抜けている目標はぼんやりとしてしまい、目標に向かっての行動がしにくくなります。目標達成に向けて、意欲的に取り組むために5つの要素を意識した目標を考えましょう。

考えてみよう

● 目標を考えるとき現実的な目標にしている？
● SMARTの法則の5つの条件について考えたことはある？

4

中間目標をつくると進めやすくなる

★中間目標を達成してやる気を維持する

たとえば、マラソン大会中に遠くにゴールは見えるけれど、ゴールまでの距離がわからない状態で走り続けるのは苦しいと思いませんか。途中で今何キロ地点なのか、ゴールまであと何キロあるのかがわかればペースを考えることができて、「ゴールまでがんばるぞ」という気持ちを維持しやすくなるはずです。

目標に向かって動いているときも同じです。目標に向かってただやみくもに動いてしまうと、やる気が維持されず途中で力つきてしまうことがあります。ですので、目標の途中にある中間目標を設定することによって、その達成具合を知ることで目標に確実に近づいていることが実感できるので、やる気が維持されやすくなります。

中間目標を考えるときは時間的な逆算を行います。たとえば、「読書感想文を４日で書く」という目標を立てた場合、「まず１日目は本を選んで、２日目に一通り本を読んで、３日目はメモしながら本を読み直して、４日目に感想文を書こう」といったようにいくつかの中間目標を立てていくことができます。

中間目標を達成できなかったときは、なぜ達成できなかったのかを考えることも大切です。

目標を達成するための中間目標を立てよう

最終目標
読書感想文を書く

3日目の中間目標
本を読みながらメモする

2日目の中間目標
本を読む

1日目の中間目標
読書感想文用の本を選ぶ

ステップアップ
ステップアップ
ステップアップ

中間目標があると、何をすればいいのかがわかりやすいね!

中間目標があれば、目標を達成しながらステップアップしていっている実感が持てるので、モチベーション維持にも役立ちます。

考えてみよう

- いきなり最終的な目標を達成しようとしてない?
- 自分の目標を達成するために
どんな中間目標が必要だと思う?

5

「ブレイクダウン」で複雑な目標を単純化する

★大きな目標から小さな目標を考える

目標を立てて、いざ行動するぞというときに、「いったい何をすれば目標を達成できるんだ？」と悩んでしまうことがあります。

そんなときに役立つのが「ブレイクダウン」という考え方です。ブレイクダウンとは、大きな目標を小さな目標に分けて考えることです。

たとえば、「サッカークラブのレギュラーになりたい」という目標があったとします。レギュラーになるためには、どんなことが必要でしょうか。「サッカーがうまくなる」や「監督に注目される」などが思いつきますよね。サッカーがうまくなるには、シュートやパス、リフティングなどの練習が必要です。監督に注目されるには、練習試合でだれよりもボールにさわるといいかもしれません。このように考えていくとどんな行動をすればいいのかが明確になってきます。

ブレイクダウンをするときのコツは、小目標をつくるときは「目標の大切さ」と「できる見込み」を感じられる目標にすることです。くわしくは36ページで説明しますが、この2つを意識することでやる気が変わります。リフティングが1回もできないのに、来月までに100回できるようになるというのは実現可能性が低いので、まずは10回できるようになるなど実現性がある小目標をつくりましょう。

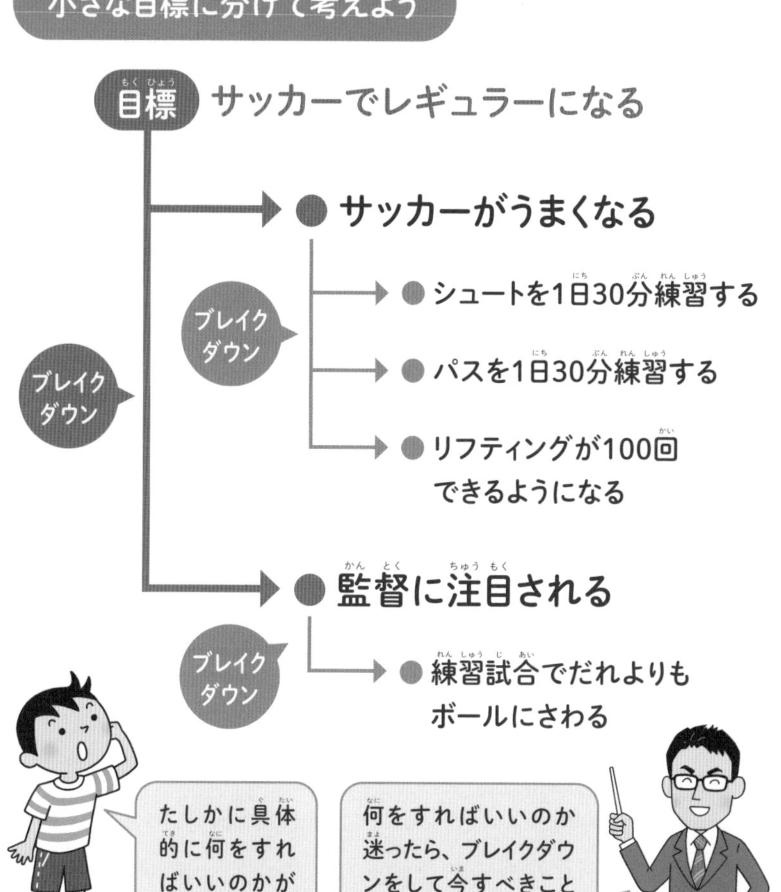
小さな目標に分けて考えよう
目標 サッカーでレギュラーになる
ブレイクダウン
サッカーがうまくなる
ブレイクダウン
シュートを1日30分練習する
パスを1日30分練習する
リフティングが100回できるようになる
監督に注目される
ブレイクダウン
練習試合でだれよりもボールにさわる
たしかに具体的に何をすればいいのかがわかってくるね。
何をすればいいのか迷ったら、ブレイクダウンをして今すべきことを明確にしましょう。

考えてみよう

- 目標を達成するために何をすればいいのか悩んだことはない？

6

目標に対して納得できているかが大切

★納得できる目標はやる気につながる

おうちの人や先生に言われたから目標を立てたという人はいませんか。たとえば、おうちの人に言われたから「毎日２時間は勉強する」という目標を立てたとします。この目標を達成できる自信はありますか。目標を立てた瞬間は「やるぞ」という気持ちがあっても、時間がたつにつれ「面倒くさい」「今日はいいや」という気持ちが生まれてきてしまうかもしれません。これは目標設定が「自分が納得したこと」ではないからです。人は、自分がやりたいことであれば、その熱量はすさまじいものを持っています。一方で、自分のなかで納得せずにイヤイヤやっているものについては、やる気を持続させることは難しく感じるものです。あなたも自分が好きなものに対して時間を忘れて熱中した経験はあっても、なんでやらなくちゃいけないのかわからないことに対しては同じような気持ちになったことは少ないでしょう。

目標を達成するには、目標に向かって動くパワーが必要です。自分は納得していないのに無理やり目標を立てたとしても、そのパワーを引き出すことはできません。

納得せずにイヤイヤ目標を立てるのではなく、自分が心から納得して取り組める目標を考えてみましょう。

自分で目標を立てることでやる気が生まれる

目標 毎日2時間勉強する

テストで90点取るために勉強がんばろう。

疲れてるけど、さぼらずに勉強しよう！

ゲームも気になるけど、勉強してからだね。

成績も上がってきて、毎日の勉強の成果が出てるね！

お母さんに言われたから勉強しなきゃね。

今日は疲れたから、勉強はお休みしよう。

新しいゲームが出たから、今日ぐらい勉強しなくていいよね。

うーん、勉強するって目標がいつの間にかうやむやになって成績も下がっちゃった。

人から強制された目標よりも自分がやりたいと思った目標のほうがやる気が出て継続します。人から言われたからやるのではなく、自分からやりたいことを見つけましょう。

考えてみよう

- 無理やり目標を決めたことはない？
- 自分が納得して立てた目標を考えてみよう！

7

目標達成の「大切さ」と「見込み」がやる気につながる

★どんな目標だとやる気が出ると思う?

目標を立ててみたはいいものの、なんだかやる気が起きなくて手をつけられないときは、あなたが目標に対してやる意味を感じていなかったり、自分にはできないと思っているのかもしれません。

やる気についての考え方のひとつに「期待価値理論」というものがあります。これは、右ページの計算式のように、「達成によって得られるもの」と「できそうだと思える度合い」をかけ合わせることによってやる気の度合いが変わってくるという理論です。

たとえば、「読書感想文や自由研究、ドリルなどの夏休みの宿題をすべて3日で終わらせる」という目標を立てたとします。夏休みの宿題をやること自体は「達成によって得られるもの」がある目標ですが、たった3日で宿題を終わらせるのは「できそう」とは思えないのでやる気は起きないでしょう。同じようにどれだけ達成できそうな目標でも、やる意味を感じられない目標はやる気がわいてきません。

やる意味やできる可能性の感じ方は人によって異なります。他人から見ればやる意味のない目標でも本人にとってやる意味がしっかりある目標ならやる気は保てます。自分の目標について、その魅力や実現性についてじっくり考えてみましょう。

目標の価値と期待がやる気につながる

●やる気の公式

達成によって得られるもの（価値）

できそうだと思える度合い（期待）

＝

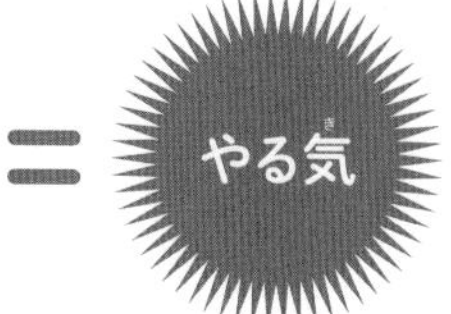
やる気

期待値価値理論

やる気（モチベーション）に関する基本的な考え方のひとつ。達成によって得られるものがあってもできるとは思えない目標に対してはやる気は出ない。またできると思っても、達成によって得られるものがないときもやる気は出ないという理論。

たしかにできる気がしないとどんなに価値がある目標でもやる気が出ないかも。

価値と期待がともに高い目標についてはやる気がわき出てきます。逆にどちらかがゼロに近いとゼロに何をかけてもゼロになるようにやる気が出なくなってしまいます。

考えてみよう

- 自分の目標にどれくらいの価値があると思う？
- 自分の目標を実現できると思ってる？

8

「バックキャスティング思考」で目標を逆算してみよう

★自分が今やるべきことを見つけよう

目標を立てたらその目標を達成するにはどうしたらいいのかを考えてみましょう。たとえば「野球選手になりたい」という目標があるとします。プロ野球選手になるには、各球団のスカウト担当者の目にとまり、契約交渉権を各球団に振り分けるドラフト会議で指名されることが必要です。スカウト担当者の目にとまるためには、甲子園などの大会で活躍しなければなりません。甲子園で活躍するためには、野球が強い高校に入りレギュラーになることが必要です。このように目標を達成するために必要なステップを考えることを「逆算」と呼び、逆算をすることで「今自分がやるべきこと」が見えてきます。

目標に向けて自分がやるべきことを逆算していく考え方が「バックキャスティング思考」です。長期的な目標の実現に適した考え方になります。バックキャスティング思考で考えるうえでのポイントは、「できる／できない」に関係なく「今やらなくてはならないこと」を考える点です。できない理由をあげてあきらめるのではなく、目標を達成するにはどうすればいいのかを考えるのです。もしあなたに目標達成するのは無理だと思う気持ちがあるならいったんその気持ちを捨てて、今すべきことから考えてみましょう。

逆算して今やるべきことを考えよう

バックキャスティング思考

望ましい未来の姿から「それを実現するために今やるべきことを考える」思考法。「いつまでに何をすべきか」を考えるため、「今やらなければならないこと」が導き出される。

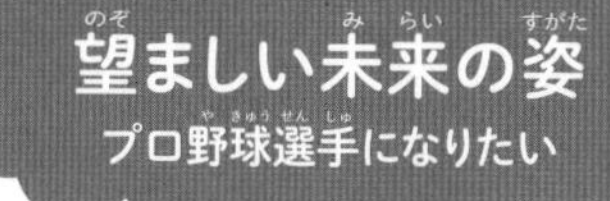

望ましい未来の姿
プロ野球選手になりたい

高校生のときにすべきこと
「スカウトの目にとまるように甲子園で活躍する」

中学生のときにすべきこと
「強豪校に入学できるように変化球に対応したバッティング練習をする」

小学生のときにすべきこと
「スポーツ少年団に入り、体づくりをする」

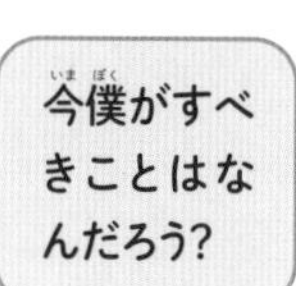
今僕がすべきことはなんだろう？

最初から無理だとあきらめるのではなく、目標の実現を前提に今やるべきことを考えましょう。

考えてみよう

- **目標を達成するために今何が必要なのかを考えてみよう！**

9

目標は達成期限とセットで考えよう

★いつまでに何をするのかを決める

宿題があるのにスマホをいじったり、ゲームをしていて時間だけが過ぎて宿題ができなかったという経験はありませんか。

やらなければいけないことはわかっていても、ついつい後回しにしてしまうのはだれしもがやってしまうことです。おうちの人や先生でも同じような経験があるはずです。

後回しにしてしまうのは、「いつまでにやるのか」を決めていないのが原因のひとつです。たとえば、「来週の日曜日に遊園地に行こう」と決めたら遊園地に行くまでに持っていくお菓子を買ったり、どんな服を着ていくかを考えたりいろいろな準備をしますよね。目標も達成期限とセットで決めることで、期限までにどんな行動をすればいいのかが割り出され、実行しやすくなります。

期限を決めるときのポイントは、具体的なスケジュールを考えること、自分にはできると思えること、そしてあまく見ないことです。「これくらいできるだろう」とあまい考えで期限を決めてしまうと期限ギリギリになってから「思ったより大変だぞ」とあわててしまいます。自分の能力をしっかり考えて、計画どおりに進められれば達成できる期限を決めましょう。

達成期限を決めよう

目標 宿題を忘れずにやる

期限を決められないAさん / 期限を決めたBさん

17:00

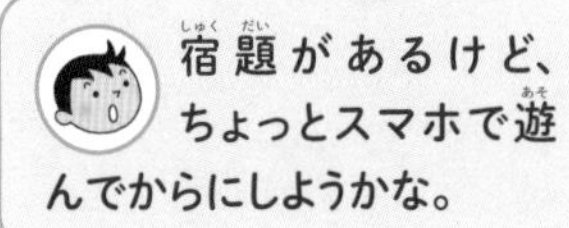
宿題があるけど、ちょっとスマホで遊んでからにしようかな。

20時までに宿題を終わらせたいから、そろそろ始めよう。

20:00

宿題があるけど、見たいテレビがあるからあとでやろう。

よし、宿題が終わったから。好きなことをしよう！

23:00

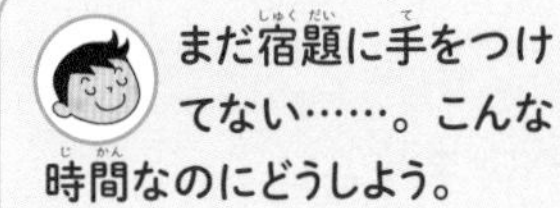
まだ宿題に手をつけてない……。こんな時間なのにどうしよう。

そろそろ寝る時間だね。宿題も終わってるしもう寝よう。

期限を決めないとつい後回しにしてしまい、もっともやらなければならないことができなくなってしまいかねません。

期限を決めることで予定が組みやすくなり、無理なく目標を達成できましたね。

考えてみよう

- やらなくてはならないことを後回しにしてしまったことはない？
- どうしたら後回しにしなくなると思う？

10

最初の一歩はすぐ行動できるものを考える

★スムーズにスタートを切ることを意識しよう

哲学者プラトンは「始めは全体の半ばである」という言葉を残しています。「ものごとは始めてしまえば、半分終わったようなもの」という意味です。しかし、最初の一歩はなかなか踏み出せないものです。作文を書くときに最初の一文字をなかなか書くことができなかったり、クラス会議で一番最初の意見がなかなか出てこないなど、一番最初の行動にはプレッシャーがかかってしまいます。

目標に向けて行動するときも同様で、一番最初の行動をなかなか踏み出せないという人もいるでしょう。うまくスタートを切るコツは、だれにでもできる簡単なことを最初の一歩にすることです。たとえば「歌手になりたい」なら「歌を歌う」を最初のステップにします。簡単なことですが、これで目標に向けての最初の一歩を踏み出せます。

知っておくべき言葉

プラトン

紀元前4世紀に活躍した古代ギリシャの哲学者。のちに有名な哲学者となるアリストテレスの師匠で、プラトンの考えは西洋哲学の基礎となっています。アカデメイアという名で学校を開いたため、プラトンとその後継者はアカデミー派と呼ばれています。

最初の一歩は簡単なものに設定する

目的に向けて動く

最初のハードルが低い

- 最初の一歩を簡単に踏み出せる
- 次の行動へスムーズに移行できる

最初のハードルが高い

- 最初の一歩が踏み出せず動くことができない
- 次の行動まで時間がかかってしまう

簡単なことから始めれば自信もつくし、次の行動にも移りやすそうだね。

最初のハードルを高くしてしまうと、つまずいたときに自信をなくしてしまうかも。

大人でも最初の一歩が踏み出せずに困ることはあります。最初のハードルはできるだけ低くしてスタートでつまずかないようにしましょう。

考えてみよう

- 最初の一歩が踏み出せずに時間だけが過ぎてしまったことはない？
- スタートを切りやすい目標を考えてみよう！

11

「なぜ?」や「どのように?」を考える

★取り組む課題について深く考えてみよう

目標に向かう意味がはっきりイメージできないときは、「なぜ？」を繰り返すことがオススメです。

たとえば、「理科の勉強をする」という目標があったとします。これに対して「なぜ？」を繰り返してみてください。そうしたら「生きものについて知りたい」→「生きもの関係の仕事がしたい」→「生きものと触れ合いたい」→「自分が楽しい」といったように、目標に向かう意味がイメージしやすくなります。

また、目標に対して「どのように？」を何度も問いかけると、「家で勉強をする」→「夕食後に勉強する」→「毎日１時間勉強することをルールにする」→「ストップウォッチで時間を計る」といったように目標達成のための手段が見えてくるので、難しい目標に対処するときに役立ちます。

「なぜ？」で深く考えることで「目標達成することが自分にとってどんないいことがあるのか」が明確になり、やる気を高めることができます。また、誘惑に惑わされないような自制心を高められます。

やる気を高めるためにも目標を立てたら、目標について深く考えてみましょう。

目標を深堀りする

「なぜ?」で深堀りする	目標	「どのように?」で深堀りする
理科の勉強をする		理科の勉強をする
↓なぜ?		↓どのように?
生きものについて知りたい		家で勉強をする
↓なぜ?		↓どのように?
生きもの関係の仕事がしたい		夕食後の時間は勉強タイム
↓なぜ?		↓どのように?
生きものと触れあいたい		毎日1時間勉強することをルールにする
↓なぜ?		↓どのように?
自分が楽しい		ストップウォッチで時間を計る

目標について深く考えることで、目標を立てた理由や行動方針が明確になります。目標を立てたら「なぜ?」や「どのように?」を考えてみましょう。

考えてみよう

- なぜ目標を達成したいと思っているのかを考えよう。
- どうやって目標を達成するのか考えよう。

12

目標を細分化する「マンダラチャート」

★どんな行動をすればいいのかがわかる

目標を達成するために必要な行動はいろいろありますが、頭のなかで考えているだけでは数が多すぎて混乱してしまうでしょう。そんなときに役立つのが「マンダラチャート」です。マンダラチャートとは目標に必要な要素を細分化し、どんな行動をとれば目標達成に近づけるのかを書き込むシートです。メジャーリーグで活躍する大谷翔平選手も高校生の頃にマンダラチャートを活用して、プロ野球選手になることを目指していました。

マンダラチャートをつくるには、まず右ページのように中央に「達成したい目標」を書き込みます。その周りの8マスには「(目標達成に) 必要な要素」を書き込みます。さらに周囲の3×3のマスの中央に「(目標達成に) 必要な要素」を書き込み、それぞれの周りの8マスに「(『必要な要素』を得るために必要な) 行動目標」を書き込めば完成です。書き込むときのポイントは、「達成したい目標」はできるだけ具体的なものを記入し、「(目標達成に) 必要な要素」についてはあまり具体的に書きすぎず、「(必要な要素を得るために必要な) 行動目標」には実行に移しやすくするために具体的な行動内容を書き込みます。こうすることで、自分に必要な行動が整理されていきます。

自分のマンダラチャートをつくってみよう

行動目標	行動目標	行動目標	行動目標	行動目標	行動目標	行動目標	行動目標	行動目標
行動目標	必要な要素①	行動目標	行動目標	必要な要素②	行動目標	行動目標	必要な要素③	行動目標
行動目標	行動目標	行動目標	行動目標	行動目標	行動目標	行動目標	行動目標	行動目標
行動目標	行動目標	行動目標	必要な要素①	必要な要素②	必要な要素③	行動目標	行動目標	行動目標
行動目標	必要な要素④	行動目標	必要な要素④	達成したい目標	必要な要素⑤	行動目標	必要な要素⑤	行動目標
行動目標	行動目標	行動目標	必要な要素⑥	必要な要素⑦	必要な要素⑧	行動目標	行動目標	行動目標
行動目標	行動目標	行動目標	行動目標	行動目標	行動目標	行動目標	行動目標	行動目標
行動目標	必要な要素⑥	行動目標	行動目標	必要な要素⑦	行動目標	行動目標	必要な要素⑧	行動目標
行動目標	行動目標	行動目標	行動目標	行動目標	行動目標	行動目標	行動目標	行動目標

マンダラチャートは思考や発想を整理するためのツールです。
それぞれの要素をもれなく洗い出し、整理すれば、
行動を具体化することができます。

考えてみよう

● 自分の目標を達成するための
マンダラチャートをつくってみよう。

大谷翔平のマンダラチャート

右のマンダラチャートは大谷翔平選手が高校1年生のときに作成したものです。高校時代の監督である佐々木洋氏の教えによって「8球団からドラフト1位で指名される」という目標を中心に置き、そこから細分化した行動目標を書き込んでいます。このように「かなえたいこと」への道のりを確立したことが、大谷選手の今の活躍につながっているのです。

大谷翔平選手は高校1年生のときに監督に教えられ、マンダラチャートを作成した
Getty Images

体のケア	サプリメントを飲む	FSQ90kg ※1
柔軟性	体づくり	RSQ130kg ※2
スタミナ	可動域	食事 夜7杯、朝3杯

はっきりとした目標、目的を持つ	一喜一憂しない	頭は冷静に心は熱く
ピンチに強い	メンタル	雰囲気に流されない
波をつくらない	勝利への執念	仲間を思いやる心

感性	愛される人間	計画性
思いやり	人間性	感謝
礼儀	信頼される人間	継続力

※1 上体を直立にさせながらしゃがみこんで行うスクワット
※2 つま先が正面を向くように立ち、脚のつけ根に手を当て、お尻を後ろに引くように行うスクワット

インステップ改善	体幹強化	軸をぶらさない
リリースポイントの安定	**コントロール**	不安をなくす
下肢の強化	体を開かない	メンタルコントロールをする

角度をつける	上からボールをたたく	リストの強化
力まない	**キレ**	下半身主導
ボールを前でリリース	回転数アップ	可動域

体づくり	コントロール	キレ
メンタル	**ドラ1 8球団**	スピード160km/h
人間性	運	変化球

軸でまわる	下肢の強化	体重増加
体幹強化	**スピード160km/h**	肩回りの強化
可動域	ライナーキャッチボール	ピッチングを増やす

あいさつ	ゴミ拾い	部屋掃除
道具を大切に使う	**運**	審判さんへの態度
プラス思考	応援される人間になる	本を読む

カウントボールを増やす	フォーク完成	スライダーのキレ
遅く落差のあるカーブ	**変化球**	左打者への決め球
ストレートと同じフォームで投げる	ストライクからボールに投げるコントロール	奥行きのイメージ

出所：スポニチ Sponichi Annex

COLUMN

挑戦し続けた / テイラー・スウィフトさん

世界各国のチャートを席巻し、グラミー賞を12回も受賞しているシンガーソングライターのテイラー・スウィフトさんですが、けっしてはじめから順調だったわけではありません。

テイラーさんが音楽に興味を持ち出したのは9歳の頃で、週末になると地元のお祭りやカラオケ大会などいろいろな場所で演奏をしていました。地道に活動をしていたもののタレント発掘コンテストではことごとく落選していました。そこであきらめることはせず、11歳になると「一流の歌手になるためには、カントリー・ミュージックの本場に行くしかない」と考え、母親と一緒にカントリー・ミュージックの聖地と呼ばれるテネシー州のナッシュビルという街で自作のデモテープを片手に飛び込み営業を始めます。そんな日々のなかで出会えたタレントプロデューサーにその才能を見込まれたことで、音楽レーベルの重役と面会するチャンスをつかみ、スターへの道を駆け上がることになりました。どんなことがあっても自分の可能性を信じたことが彼女の成功の秘訣だったのかもしれません。

世界を魅了するテイラーさん

Keeton Gale / Shutterstock.com　出所：Number 1092、朝日新聞デジタル

第3章

目標を達成するために知っておきたいこと

1

目標達成のキモになる「ストレッチゾーン」

★少しがんばれば対処できる目標を持つ

ものごとの難易度には、以下の３つがあると考えられています。

「**コンフォートゾーン**」……簡単なゾーン

「**ストレッチゾーン**」……ほどほどの難易度のゾーン

「**パニックゾーン**」……超難しいゾーン

「コンフォートゾーン」は居心地はよいのですが、余裕があるため手抜きをしてしまいがちです。

「ストレッチゾーン」は新しいことをしないと解決できない目標に取り組んでいるときのゾーンになります。ストレスを感じるものの、集中力が増し、眠っている力が発揮されます。たとえば、ゲームで難しいステージに挑戦するときに集中力が増したことはありませんか。それはあなたがストレッチゾーンに入っているからかもしれません。つねにちょっと難しめの目標を目指すことで「ストレッチゾーン」に身を置くことになり、いろいろな努力が発生するので自分の成長につながります。ただし、いきなり目標を高くしすぎてしまうと「パニックゾーン」に入ってしまい、どう行動していいのかわからなくなり、結果的に何もできなくなってしまいます。能力を伸ばしたいときは、ストレッチゾーンを意識するとよいでしょう。

ストレッチゾーンに身を置くことが成長につながる

●ものごとの難易度を表す3つのゾーン

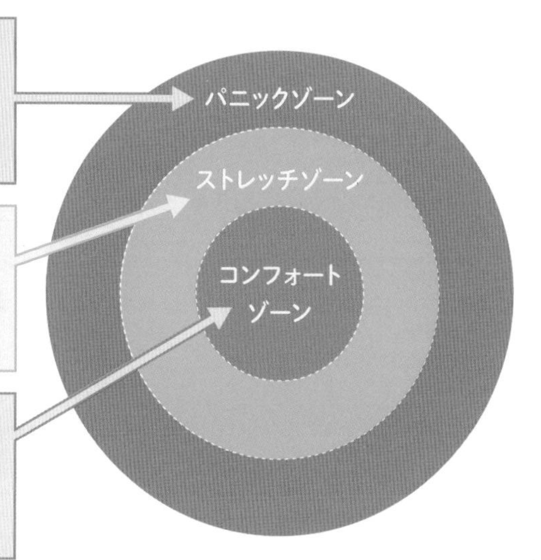
過度なストレスがかかる状態。自分の力が通用しないためやる気が起きず、あきらめてしまう。
パニックゾーン
適度にストレスがかかる状態。学習・挑戦することで成長しやすい。集中力ややる気が増す傾向がある。
ストレッチゾーン
リラックスしている状態。安心感があり、快適であるものの現状維持の性質が強く、成長しにくい。
コンフォートゾーン

余裕があるとついつい手を抜いてしまいます。適度にプレッシャーを受けたほうが集中力が増し、よい結果が得られやすいです。

たしかにちょっと難しいことをやろうとしているときのほうが、いろいろな勉強したり挑戦したりしているかも。

考えてみよう

- ちょっと難しいことをしているときに自分の実力以上の力が発揮できた経験はない？
- 簡単な課題に対して手を抜いたことはない？

2

自分の成長をはばむ「セルフ・ハンディキャップ」

★失敗を恐れない心が大切

テストの日に「全然勉強してないんだ」と言ったことがありませんか。また、テストの前日に勉強をせずに遊んでしまった経験はありませんか。これは心理学の用語で「セルフ・ハンディキャッピング」といいます。セルフ・ハンディキャッピングには、失敗してもしかたない理由を自分から周りに伝える「主張的セルフ・ハンディキャッピング」と失敗する原因を自分から生み出す「遂行的セルフ・ハンディキャッピング」の２つがあります。

セルフ・ハンディキャッピングはあらかじめ予防線を引くことで失敗したときに自分の心を守る効果があります。しかし、「失敗してもしかたがない」という気持ちがあるため、失敗したときの反省が少なく、あなたの成長を邪魔してしまう可能性があります。

また、それをほかの人から見たとすればどうでしょうか。いつも言い訳している人を見て、あなたはどう思いますか。好意的に思う人は少ないのではないでしょうか。言い訳ばかりしていると周りの人からの信頼を失ってしまいます。自分を守るためには必要かもしれませんが、言い訳づくりは自分が成長できなくなったり、好きな人に嫌われてしまうことも想像してどうすればよいのかを考えてみましょう。

自分で自分を縛ってない？

セルフ・ハンディキャッピング	何かに挑戦して失敗したときに自分のプライドを傷つけないために、自分自身にハンデを設けて失敗してもしかたない状況をつくってしまう行為。

主張的セルフ・ハンディキャッピング

失敗してもしかたない理由を自分から周りに伝える行為。たとえば、テスト前に「体調が悪い」や「勉強していない」などを周囲に伝えることなど。

遂行的セルフ・ハンディキャッピング

失敗する要因を自分で生み出す行為。たとえば、テスト前日に夜ふかしをしたり、勉強をしなかったりして、失敗しても「本気を出していなかった」と自分自身に言い訳できる状態にすることなど。

▶セルフ・ハンディキャッピングのデメリット

●周囲からの印象が悪くなる

言い訳ばかりする人は周りからいい印象を持たれず、嫌われてしまう可能性がある。

●成長につながらない

失敗してもしかたがないと思ってしまうため、失敗しても反省が少なく、成長につながらなくなってしまう。

●挑戦ができなくなる

最初からダメだと思ってしまうため、挑戦する気持ちや向上心を失ってしまう。

言い訳をせずに行動できるようになると、心のブレーキを踏まずにいろいろなことに全力を出せるようになります。

考えてみよう

- 行動する前から周りに言い訳をしていない？
- テスト前に遊んだり、そのときやる必要がない掃除を始めてしまったことはない？

3

日々の積み重ねが目標達成のキモ

★楽しいことに流されないようにしよう

「家に帰ったら宿題をしよう」と思っていたのに、帰り道に友だちから遊びに誘われたり、テレビを見たり、ゲームをしているうちに宿題のことをすっかり忘れてしまって、寝る前になってあわてて宿題に取りかかるなんて経験はありませんか。やる気がなかったわけではなく、学校を出るまでは「宿題をやるぞ」という気持ちはあったはずです。しかし、宿題以外の楽しいことに流されてしまった結果、宿題を後回しにしてしまい、寝る直前になって後悔しているわけです。

楽しいことに流されてしまう気持ちもわかりますが、楽しいことばかりに流されているとあなたが大切にしている目標を達成できなくなってしまうかもしれません。「継続は力なり」という言葉があるように、目標を達成するためには日々の積み重ねが大切です。最近の心理学の研究においては、「勤勉性」が人生において成功するためにもっとも重要な要因とされています。勤勉性とは、毎日コツコツと努力する性質のことで、勤勉性が高いと学校の成績がよくなるだけでなく、人間関係が良好になり、健康で長生きできることが指摘されています。ふだんの生活を振り返って、楽しいことばかりを優先しすぎていないか考えてみましょう。

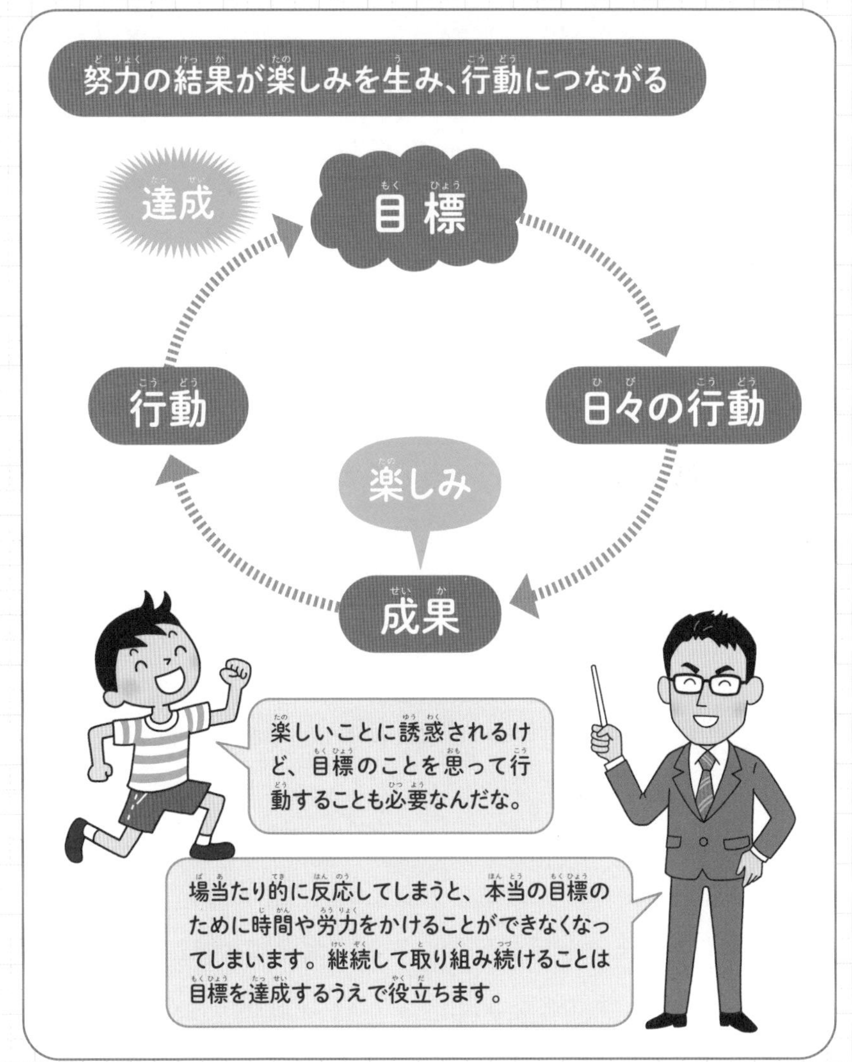
努力の結果が楽しみを生み、行動につながる
達成
目標
日々の行動
成果
楽しみ
行動
楽しいことに誘惑されるけど、目標のことを思って行動することも必要なんだな。
場当たり的に反応してしまうと、本当の目標のために時間や労力をかけることができなくなってしまいます。継続して取り組み続けることは目標を達成するうえで役立ちます。

考えてみよう

- やる気があったのに、ついほかのことに気を取られてしまったことはない？
- 継続するためにはどうしたらいいと思う？

4

行動を起こさないほうが長い目で見ると後悔する

★行動することでわかることがある

考えがまとまらなかったり、いいアイデアが出なかったり、「行動したら失敗しそう」と思ってしまって、何も行動ができなくなってしまうことは少なくありません。

たとえば、好きな人に対して、嫌われたらいやだからと話しかけもせずに遠くから見ているだけだと何も変わりません。話しかけてみて、もし相手から興味を持たれなければショックは受けるでしょう。しかし、話しかけずに学生生活を終えてしまうと、大人になってからあのときもっと話しておけばよかったなと後悔してしまいます。

行動することで短期的には気まずい思いをするかもしれませんが、長期的な視点で考えると行動しないことは大きな後悔につながります。あなたも過去を振り返ると、やっておけばよかったと感じられることが思い浮かんできませんか。また、行動することは次の行動を考えるきっかけにもなります。話に興味を持ってもらえなくても、あきらめずにいろいろな方法を試していくうちに好きな人と仲良くなれる可能性があるのです。一方、話しかけることをしなければ何も変化は起こりません。いっときの気まずい気持ちを我慢して行動するのと、行動せずに後悔するのとではどちらがよいと思いますか。

行動しないと何も始まらない

行動できるAさん

好きな子と仲良くなりたいから声をかけてみよう!

短期

あんまり興味なさそうだったな。話しかけたのは失敗だったかも。

なんだか気まずいぞ。僕の行動は間違っていたのかなあ……。

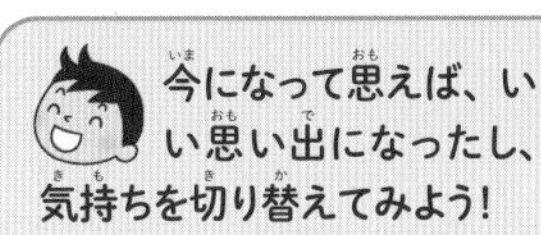
今になって思えば、いい思い出になったし、気持ちを切り替えてみよう!

長期

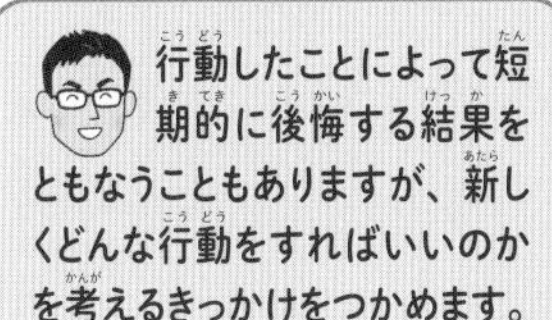
行動したことによって短期的に後悔する結果をともなうこともありますが、新しくどんな行動をすればいいのかを考えるきっかけをつかめます。

数日後

数か月後

行動できないBさん

好きな子と仲良くなりたいけど、声をかけるのは気が引けるなあ。

やっぱり声をかければよかったかな。

声をかけてれば仲良くなれていたかもしれないなあ。

話しかければよかったという気持ちがふくらんできて、なんだか辛いなあ。

行動を起こさないと「こうしていたら」「ああしていたら」という気持ちがわき上がってしまい、時がたつにつれて後悔は大きくなってしまいます。

考えてみよう

- 行動しなくてのちのち後悔したことはない?
- 短期的に気まずい思いをするのと将来大きな後悔をするのとどっちがいい?

5

目標を達成するための環境づくりをしよう

★誘惑に負けない環境はつくることができる

学校では集中して勉強ができるけど、家に帰ると集中できないという人は多いのではないでしょうか。家にはあなたを誘惑するものがたくさんあります。スマホやテレビ、ゲーム、マンガ、おもちゃなどに手を伸ばしてしまい、机に座っているだけで、じつは勉強にはまったく手がついていないなんて経験はありませんか。

人は誘惑に負けてしまうものです。おうちの人や先生にだって誘惑に負けてしまったという経験はあるはずです。誘惑に打ち勝つためには、その誘惑の原因となるものを物理的に手が届かないようにしたり、視界に入らないようにするのが手っ取り早いです。たとえば、勉強中はカギをかけた机の中にしまったり、おうちの人に預かってもらったりするといいでしょう。またモノが大量にある場合は、おうちの人に相談してリビングに置いてもらうというのもひとつの手です。リビングに置いておけばおうちの人の目があるので、勉強中にわざわざリビングに移動して遊んでしまうことはないでしょう。

このように誘惑に負けないための環境づくりが必要です。どんな環境にすれば誘惑に負けないようになるのかを考え、自分ひとりでの環境づくりが難しい場合は、おうちの人にも相談してみましょう。

誘惑に負けないための環境づくり

●スマホやゲーム機はカギをかけた引き出しへ

簡単にスマホやゲーム機をさわれないようにカギをかけた引き出しにしまい、カギをおうちの人に預かってもらうことで、誘惑から自分を切り離すことができます。

●視界に入らないようにする

自分を誘惑するものが視界に入ってしまうと集中できなくなるので、やるべきことが終わるまでおうちの人に預かってもらうなどして、自分の視界に入らないようにします。

●リビングなどに移動する

おうちの人に相談して自分のことを誘惑するものはリビングに置くと、おうちの人の目があるので勉強中に手を出せなくなります。

視界に入ると気になっちゃうから、自分の手が届かないところに置いといたほうが誘惑に負けないね。

誘惑の力は強いですから、簡単に手に取れないようにする必要があります。時には誘惑するものは今は買わないという選択をする必要があるかもしれませんね。

考えてみよう

- **勉強するつもりがスマホやゲームをしてしまった経験はない?**
- **どうすれば誘惑に負けないと思う?**

6

「学び」に意識を向けると粘り強さアップ

★どうしたらもっと成長できるのかを考える

目標に向かって行動していく途中にはさまざまな困難があります。学校の勉強では日々新しい事がらを覚えなくてはなりませんし、テストで難しい問題が出たときには間違ってしまうこともあるでしょう。スポーツでもほかの人のように上手にできなかったり、ダイエット中に思うように体重が減らないことだってあります。自分なりにがんばっているのに思うように結果が出せないと、「自分には無理だ」とやる気をなくしてしまうことがあるかもしれません。しかしこれは結果ばかり見ているからです。努力しているなら少なからずあなたは成長しているはずです。成長を見ずに結果が悪かったからと落ち込んでしまうのは、悪いところしか見ていないせいかもしれません。

やる気を維持するためには自分の成長にも目を向けることが大切です。実際、成功者のなかにも自分の成長に目を向けている人がいます。史上最年少で８つのタイトルを獲得したプロ棋士の藤井聡太さんは、結果と内容について右ページのような発言をしています。藤井さんのような大きな結果を残している人でも結果だけを求めるとモチベーションを維持するのは難しいと考えているのです。あなたも結果だけでなく、自分の成長にも目を向けてみてはどうでしょうか。

自分の成長にも目を向ける

●困難に強い心を持つために必要な考え方

1 自分は成長できると信じる

たとえ今できないことがあったとしても、自分は成長できると信じ、努力を続けることで困難にも立ち向かうことができるようになる。

2 他人と比較せず過去の自分と比べる

自分は自分と考え、他人との比較ではなく、過去の自分と今の自分を比較し、どれくらい成長しているのかを確認する。

「結果ばかりを求めていると、逆にそれが出ないときにモチベーションを維持するのが難しくなってしまうのかな、というふうにも思っているので。結果よりも内容を重視して、やっぱり一局指すごとに改善していけるところというのが新たに見つかるものかな、と思うので。やっぱりそれをモチベーションにしてやっていきたいというふうに思っています」

考えてみよう

- 目標を達成できたかどうかの結果ばかり見てない？
- 自分の成長について考えたことはある？

出所：首相官邸ホームページ https://www.kantei.go.jp/jp/101_kishida/actions/202311/13kenshoshiki.html

7

自分は成長できると信じることが大切

★自分の力で成長をつかみとる

難しい問題に直面したときに、あなたの考えは下のAとBのどちらに近いでしょうか。

A「自分の能力は生まれつき決まっていて、変えることはできない」
B「自分の能力は高めることができる」

Aの考え方は「固定的マインドセット」と呼ばれ、自分には伸びしろがなくこれ以上変化しないという考え方です。Bは人間の能力は努力した分だけ伸びるし、自分は成長できると信じている考え方で、「成長マインドセット」と呼ばれます。固定的マインドセットは失敗によって自分の限界を感じてしまうことで、ものごとが続きづらくなってしまいます。一方、成長マインドセットの場合は、挑戦を簡単にはあきらめないために、困難に立ち向かえるようになります。

また、周囲の環境も大切です。成長マインドセットは同級生やおうちの人をはじめ、周りの人が「あなたは成長できる」と信じているとより効果を発揮します。逆にあなた自身が「成長できる」と思っていても、周りの人が「あなたは成長できない」と思っていると成長マインドセットの効果は発揮されにくくなります。そのため、あなたの考えを認め、温かく受容してくれる環境に身を置くことも大切です。

2つのマインドセット

固定的マインドセット

◎能力はこれ以上変えることができない
◎人は変わることができない

- 失敗が怖い
- 難しい挑戦は避けたい
- 他人からの評価が大切
- 失敗したことを振り返りたくない
- すぐにあきらめる

成長的マインドセット

◎能力は努力で変えることができる
◎人はよりよくなれる

- 失敗は怖くない
- 難しい挑戦をしたい
- 他人の評価より自分の成長が大切
- 失敗したことを反省できる
- 失敗しても挑戦し続ける

固定的マインドセットは自分の限界を決め、成長を止めてしまいます。反対に、成長を確認することに喜びを覚えられるようになると、やる気が高まり、困難な出来事にも立ち向かえるようになります。

考えてみよう

- 自分には才能がないと思ったことがない？
- 「今はまだできないだけだ」とあきらめずに挑戦し続けた経験はある？

8

自分に対するごほうびは楽しさを失わせるかも

★目的がごほうびになってない？

おうちの人と目標を達成したらごほうびをもらう約束をしている人はいませんか。じつはこの「ごほうび」があなたが目標に取り組む楽しさを失わせてしまうかもしません。

それはごほうびが目的になってしまうためです。たとえば、あなたが野球が好きで、レギュラーになったらおもちゃを買ってもらえる約束をしたとします。すると、最初は野球が好きで練習していたはずなのに、いつの間にかにごほうびが目的になってしまい、野球が好きだった気持ちが次第にうすまってしまう可能性があるのです。

ロチェスター大学のエドワード・L. デシ教授の研究によると、休み時間中にほかにも誘惑がある状態で「ソーマキューブ」というパズルを渡し、パズルを完成させたらごほうびをあげると伝えるグループと伝えないグループに分けたとき、ごほうびを渡すグループはごほうびが渡されたあとはパズルをやらなくなってしまいましたが、渡されないグループはいつまでもパズルを続けたという結果が出ました。これは報酬を事前に伝えることで、目的が「ごほうびをもらう」になってしまったためです。逆に、取り組むことが辛い目標に対しての「ごほうび」は行動のきっかけになるので悪いことではありません。

ごほうびは逆効果になることも

野球のレギュラーになってもごほうびがないAさん		野球のレギュラーになったらごほうびがあるBさん
野球の練習は楽しいな!	試合前	野球は楽しいし、ごほうびも楽しみ!
レギュラーになれたし、これからも野球を続けよう!	試合後	ごほうびはもらえたし、もう練習しなくていいかな。

▶ごほうびに頼らずモチベーションを上げよう

❶おうちの人や友だちに言葉でほめてもらう

レギュラーになってすごい!

★他人からほめられることでやる気が生まれる。

❷成長を感じてモチベーションを上げる

試合で活躍するぞ!

★モノに頼らず、自分の成長に喜びを感じる。

楽しくやっていたはずなのに、ごほうびが目的になってしまうと楽しさを失ってしまいます。好きなことに対してのごほうびは逆効果になることがあります。

考えてみよう

● 自分が決めた目標をごほうびなしでもがんばれると思う?

9

いつ、どこで、何をするかを決める

★「〇〇をしたら、××をする」を決めよう

目標を決めた当初はやる気に満ちあふれていたのに、時間がたつにつれてやる気が継続せずに悩んでいる人もいるでしょう。

そんなときに役立つのが「if-then 計画」です。if-then 計画とは、「A になったら、B をする」という計画のことです。

たとえば、「夕飯を食べたら、自室で算数のドリルを解く」「朝起きたら、家の周りを走る」といったような計画をつくり、実行していくのです。計画をつくるときのポイントは「いつ」「どこで」「何をするのか」を具体的にすることです。具体的にしている場合としていない場合とでは、行動量や継続力が格段に異なります。ドイツの有名な社会心理学者であるペーター・ゴルヴィツァーが行った実験によると、学生にクリスマス休暇にボランティアでレポートをクリスマス当日から 48 時間以内に提出することをお願いし、半分の学生にはレポートを書く場所と時間を自分で決めてもらいました。その結果、場所と時間を決めなかった学生は期限内に 32％しか宿題を提出しなかった一方で、決めた学生は期限内に 71％が宿題を提出したという実験結果が出ました。あなたが考える目標を達成するには、どんな計画をつくればいいのか考えてみましょう。

if-then計画を活用してみよう

●勉強を習慣づけるif-then計画の例

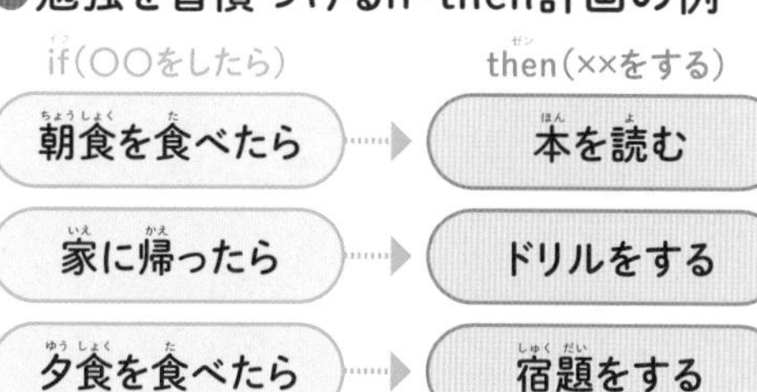
if(○○をしたら)
then(××をする)
朝食を食べたら
本を読む
家に帰ったら
ドリルをする
夕食を食べたら
宿題をする

何をするかはっきりしているから行動しやすそうだね!

●運動を習慣づけるif-then計画の例

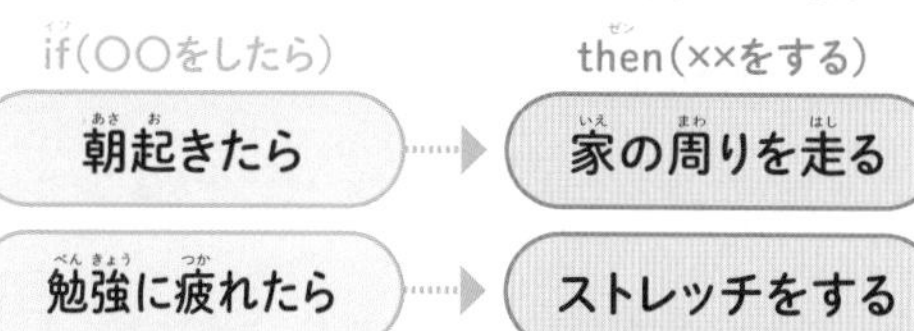
if(○○をしたら)
then(××をする)
朝起きたら
家の周りを走る
勉強に疲れたら
ストレッチをする

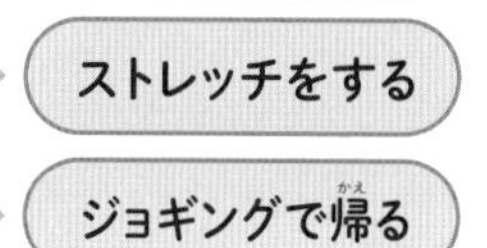
学校が終わったら
ジョギングで帰る

やらないといけないと思ったことはif-then計画に落とし込んでみましょう。やろうと思っていたのにやらなかったという事態が起きにくくなりますよ。

●不安に対するif-then計画の例

if(○○をしたら) → then(××をする)

試合中に不安になったら → 練習したことを思い出す

考えてみよう

- やらなければならないのにさぼった経験はない?
- 目標を達成するための「if-then計画」を考えてみよう!

10

「自分ならできる」という自己効力感を持とう

★チャレンジ精神や打たれ強さを高める

自分が得意な課題を前にしたときに「自分だったらうまくできるはずだ」と自信がわき起こってくる状態になったことはありませんか。

このように目標を達成するための能力を自分が持っていると認識することを「自己効力感」と呼びます。この概念はスタンフォード大学の心理学者アルバート・バンデューラ教授が提唱したもので、自己効力感が高まるほど、チャレンジ精神や打たれ強さ、モチベーションが上がると言われています。自己効力感に影響を与える主な要因には以下の４つがあります。

①**達成経験**……過去に自分自身が何かを達成・成功できた経験
②**代理経験**……他者の行動を観察し自分にもできそうだと思える経験
③**言語的説得**……他者からほめられたり、励まされたりすること
④**生理的・情緒的喚起**……心身の状態を良好にすること

バンデューラ教授は①＞②＞③＞④の順で自己効力感に与える影響は大きくなるとも述べています。

自己効力感が高い人は「いつかはできるようになる」と思えるので、目標達成に向けた行動を継続しやすくなり、困難なことが起きてもあきらめづらくなります。

自己効力感を高める4つの要因

自己効力感

達成経験
自分自身で何かを達成したり成功した経験

代理経験
自分以外の他人が何かを達成したり成功したりすることを観察すること

言語的説得
自分に能力があることを言語的に説明されたり、励まされること

生理的・情緒的喚起
体験などの要因について気分が高揚すること

自己効力感を高めることで「自分ならできる」という気持ちが強くなり、目標に向かう気持ちが強くなります。たとえ失敗しても「次はどうすればいいのか」と前向きに考えられるようになります。

考えてみよう

- 「自分だったらうまくできるはず」と思った経験はある?
- 自分は自己効力感が高いと思う?

11

成功の積み重ねで自己効力感を高める

★成功体験を積み重ねて自信をつける

自己効力感にもっとも影響を与える要因が「達成経験」です。「難しい問題を解くことができた」「運動会で1位になれた」などのような成功体験を積むことで「自分はやればできる」という自信を持つことができるようになり、自己効力感が高まります。「自分には目標を達成する力がない」と思い込んで自信がない人も、「前に努力して達成できたんだから、今回もできるはず」と思えるようになり、自己効力感の向上につながります。

ただし、簡単な目標ばかり達成しても自己効力感は高まりにくくなり、ものごとを楽観的にとらえすぎる癖がついてしまいかねません。「努力して目標達成した経験」が大切なのです。

また、目標に挑戦して何度も失敗すると「自分にはできないかもしれない」と自己効力感が低下しやすくなります。その結果、別の目標に挑戦するモチベーションも低下してしまう可能性があります。達成困難な難しい目標ばかり挑戦するのではなく、努力すれば達成できる小さな目標を立て、クリアすることで「自分にもできる」という成功体験を積むことが大切です。目標の難易度を少しずつ上げていき、成功体験を増やしていくようにしましょう。

よい達成経験を知ろう

達成経験とは?

自分自身で目標をかかげ、自分自身の力で達成したり、成功した経験のこと。達成経験を積むことで別の目標にも挑戦しやすくなる。

●自己効力感を高めやすい達成経験

「努力して目標を達成した経験」

努力すれば自分なら達成できるという気持ちが強くなり、前向きに目標に取り組むことができるようになる。

●自己効力感を高めにくい達成経験

「簡単にできる目標を達成する」

簡単な目標は達成しても達成感がなく、自己効力感を高める効果がうすくなってしまう。

●自己効力感を下げてしまう経験

「失敗し続けてしまう経験」

難しい目標ばかり立てて失敗し続けてしまうと挫折感が高まり、自己効力感を下げてしまう。

達成経験によって自己効力感を高めるためには、難しすぎず簡単すぎない目標を達成することが大切です。「ちょっと努力すれば達成できそう」と思える目標を意識してみましょう。

考えてみよう

- 努力した結果、成功した経験を思い出せる?
- 過去の成功した経験を思い出すと「自分ならできる」という気持ちにならない?

12

目標を達成している人から学ぶ

★人のやり方を見ると、成功の手がかりに

あなたの目標をすでに達成している人がいるなら、その人からアドバイスをもらいましょう。

他人の経験を見聞きしたことによる疑似体験を「代理経験」と呼びます。たとえば、友だちがテストで100点を取っているのを見て、その勉強方法を聞いたら「やり方をマネすれば自分もテストの成績を上げることができそうだ」と思えてきませんか。このようにほかの人のやり方を見聞きすることからよりよい方法を見つけることができ、そのことが自己効力感を上げることにつながります。

身近な人でなくても、実在する有名人や映画、漫画の主人公でも代理経験はできます。あこがれのアイドルがどのような努力をして今の姿があるのかを知ることで、自己効力感を上げることにつながります。

もしあなたの目標を達成している人が身近にいるのなら、壁にぶつかって弱気になったときにどうやって乗り越えたのかを聞いてみるとよいアドバイスがもらえるかもしれません。また身近にいない場合は、あこがれの人の自伝やインタビューに触れることで、自己効力感を上げるきっかけを見つけることができるでしょう。

人から成功経験を聞くと自己効力感が上がる

最近成績があんまり上がってない気がする。みんなどうしてるんだろう……?

自己テストをして自分の苦手な部分を研究しているんだ。

朝は記憶力がいいって聞いて、登校前に勉強しているんだ。

みんなのアドバイスをもとに勉強法を変えてみれば僕も成績が上がるかも!

身近に参考になる人がいないときは、あこがれの有名人の自伝やインタビューからどんなことをして目標を達成したのかを確認しましょう。

人の成功体験を聞くことで「自分にもできる」という気持ちになれます。簡単に目標を達成できる人はほとんどいないので、いろいろな人の話が参考になるはずです。

考えてみよう

- ほかの人でもできるなら自分にもできるはずだと思えてこない?

13

周りの人の言葉が自己効力感を高める

★あなたならできるという言葉が力になる

何かうまくいかないことがあるときにおうちの人や先生に、「あなたならできるよ！」「あなたはすごいよ！」と励まされると自分が肯定された気持ちになり、なんだかできる気がしてきませんか。

このように弱気になっているときに人から励まされることを「言語的説得」と呼びます。人からほめられたり、励まされたりすることで自己効力感が高まり、目標に向かって前向きに取り組めるようになります。すると、技術やセンスが向上して自信がつき、結果としてさらに自己効力感を得られるという好循環が発生します。だれかにほめられたというきっかけをもとに自らが行動することで、さらなる自己効力感の形成につながるわけです。

一方で、批判的な指摘を受けてしまうと自己効力感が低くなってしまうこともあります。「あなたはダメだ」「あなたには無理だよ」などと言われてしまうと自己効力感が低くなってしまうため、日頃から信頼できる人とコミュニケーションを取ることが大切です。

言語的説得はほかの人のためにも有効です。あなたの周りで弱気になっている人がいたら、その人のスキルや能力をほめてあげるとその人の自己効力感を上げる手助けになるかもしれません。

人からの励ましやアドバイスが自己効力感を上げる

ピアノの発表会がうまくいかなくて、自信がなくなっちゃった……。このままピアノ続けていていいのかなあ。

あなたならできると思うよ！

いつもうまく弾けてるよ！

みんなにほめられたり励まされて、自分ならできるかもって気がしてきたわ。もっとがんばってみよう！

信頼する人からほめられたり励まされることで自己効力感が高まる！

不安を抱えたまま目標に向かって行動しているとき、信頼する人からほめられたり応援されると自己効力感が高まり、やる気が出てきます。信頼できる人とコミュニケーションを取ることが大切です。

考えてみよう

- 落ち込んだときにおうちの人や友だちに励まされたらがんばろうって気持ちにならない？

14

心身の状態も自己効力感に影響を与える

★心や体が弱ると自信を失ってしまう

人前で発表するときに、発表前の段階では準備を完璧にして自信満々だったのに、いざ人前に立つと緊張してしまい、一気に自信を失ってしまった、なんて経験はありませんか。

このように感情の変化によって、自己効力感が変化することを専門用語で「生理的・情動的喚起」と呼びます。

生理的・情動的喚起は感情の変化だけでなく体調などの変化によっても起こります。たとえば、風邪をひいて38度の熱が出ているときは、いくら得意なものでも「今日はできる気がしない」と思ってしまいますよね。体や心が健康なときは自己効力感に満ちあふれていても、どちらかが不調になり自己効力感を失ってしまうとふだんなら簡単にできることでもできなくなってしまうこともあります。

自己効力感をむやみに失わないためにも、日々心身とも健康でいることが大切です。目標達成のためにがんばることも大切ですが、がんばりすぎて心や体を悪くしてしまうのは、逆に目標から遠のいてしまう可能性があります。心身ともに健康でいられるよう、無理をしすぎないように注意しましょう。

心身が健康だとうまくいくことが多い

●心身に不安があると……

体調が悪くて、ふだんの力が発揮できそうにない……。
緊張して、自信がなくなってきた……。

★体調が悪かったり、緊張したりすると自己効力感を失ってしまい、ふだんの力を発揮できなくなります。

●心身が健康だと……

体調は万全だし、いつもどおりの力が発揮できて、自信しかないね。
落ち着けてるし、これまで準備したものを発表すれば問題ないわね。

★心身ともに健康なら、自己効力感が上がり、自分の力を発揮できます。

こう考えると、健康に過ごすことが自己効力感を上げることにつながりそう。

ふだん自己効力感が高い人でも、体調不良によって自己効力感を失ってしまうことがあります。心身ともに日々健康に過ごすことも大切です。

考えてみよう

- 体調が悪いときに自信をなくしたことはない？
- 人前に立ったときに自信をなくしたことはない？
- 体調や感情が自信につながると思う？

15

試行を繰り返して目標に向かう

★とりあえず動いてみるのも大切

目標のために作戦を考えたり、計画を立てるのに時間を使いすぎて行動できなかったという経験はありませんか。目標を達成するためのやり方には正解がありません。人によってやり方は千差万別なので、「まずは試してみる」という気持ちも大切です。

「マシュマロチャレンジ」というゲームがあります。乾燥パスタやひも、粘着テープ、マシュマロを組み合わせて、18分間でできるだけ高いタワーをつくるというものです。このゲームを幼稚園児や建築家、経営学の大学院生などの計6チームで競ったところ、幼稚園児が3位という成績を収めました。一方、大学院生は最下位でした。

幼稚園児のチームは躊躇せず試してみて、それがうまくいかなければ別のことを試すということを繰り返し、最終的に平均以上の高さの建造物をつくりました。一方、大学院生チームはだれがリーダーになるかや作戦会議に時間を使いすぎ、その結果残り1分のところで建造物を崩してしまい、最下位という結果になってしまいました。

このようにいろいろと考え込むよりも、まず試行したほうが結果的に成功につながることもあります。もし「どうしよう」と悩んでいるのなら、思い切って動いてみたほうが目標に近づけるかもしれません。

考えすぎずに行動することが大切

● 行動的なAさん

試作

改善

試作

改善

試作

成功

● 考えすぎなBさん

思考

試作

失敗

とりあえず行動する人や考えてから行動する人など、いろいろなタイプの人がいますが、考える時間が長すぎると改善する時間がなくなってしまいます。思い切って行動してみることが大切です。

考えてみよう

- 悩みすぎて行動できなかったことはない?
- 試行錯誤してうまくいった経験はない?
- 悩んでいるのと行動するのとどっちがいいと思う?

16

進捗状況を「見える化」する

★達成状況が見えるノートをつくってみよう

目標に向かって行動していても自分が成長しているのかわからず、次第にやる気が失われてしまうことがあります。この原因として、進捗状況をしっかり把握できていないことが考えられます。

この状況を打破するためには、自分の達成状況を知るために「進捗状況の見える化」を行ってみましょう。

夏休み中のラジオ体操で、スタンプカードにスタンプが埋まっていくとうれしい気持ちになり、次もまた来ようという気になりますよね。これと同じように進捗状況をノートに書き出し、達成できたらスタンプを押していくのです。心理学でもフィードバックによって現状を知ることの重要性が示されています。進捗状況を見える化することで現状を知るきっかけにもなります。

進捗状況を見える化するときのポイントは自分でコントロールできるものを書き出すことです。たとえば、毎日ドリルを5ページ解くことは自分の行動でコントロールできるのでいいのですが、テストで100点取ることは自分でコントロールできないので不適切です。

右ページのようなノートを作ってみて、自分の進捗を確認できるようにしてみましょう。

進捗状況ノートを作ってみよう

達成した項目にはシールを貼ったり、丸印をつけよう！

	8月5日	8月6日	8月7日	8月8日	8月9日	8月10日	8月11日
	月	火	水	木	金	土	日
漢字ドリル							
計算ドリル							
夏休みドリル							
絵日記							
あさがお観察							
読書感想文							

日々やるべきことを見える化することで、何をしなくてはならないのかがわかり、継続的に行動することができるようになります。

考えてみよう

- どれくらい目標に向かって進んでいるのかがわかればやる気が出ると思わない？
- 目標達成のための条件を考えてみよう！

17

目標達成するために「やらないこと」も決めよう

★「やらないこと」を決めて時間をつくる

目標達成のために「これやろう。あれもやろう」といろいろな「やること」を決める人は多いですが、じつは「やらないこと」を決めるのも同じくらい大切です。

時間は有限で、だれにとっても1日は24時間、1年は365日しかありません。学校や塾に通ったり、友だちと遊んだり、ご飯を食べたりしているうちに、1日というのはあっという間に終わってしまいます。それなのに、「やること」ばかり増やしてしまうと時間が足らなくなり、結局中途半端になってしまいます。「やること」をやり切るためには、「やらないこと」を決めることが同じくらい大切なのです。

たとえば、「SNSを見すぎない」「毎週水曜日は友だちと遊ばない」「平日はゲームをしない」など、「やらないこと」を決めて時間をひねり出します。「やらないこと」を決めるときのポイントは継続できる内容にすることです。「友だちと一切遊ばず、ゲームもしない」というのは1週間くらいなら我慢できるかもしれませんが、年単位で継続するのは現実的ではありません。これまで説明したように目標達成のためには継続が必要なので、「やらないこと」も継続できるような内容を考えてみましょう。

やらないことを決めて時間をつくる

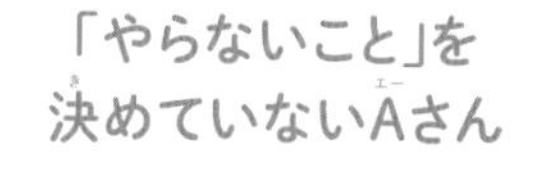

「やらないこと」を
決めていないAさん
友だちと遊びたい。
ゲームもしたい。
お出かけもしたい。
なんだか時間が足りないぞ。
「やらないこと」を
決めているBさん
スマホでSNSを見る時間は減らそう。
空いた時間は目標のために行動する時間にしよう。
「やること」ばかり決めると時間が足りなくなってしまいます。目標達成のための時間をつくるためには、「やらないこと」を決め、時間の節約をすることが大切です。

考えてみよう

- やりたいことがあるのに「時間が足りない」と思ったことはない？
- どうすれば時間がつくれると思う？

COLUMN

プロになることを夢見た / イチローさん

元プロ野球選手でメジャーリーグでも活躍したイチローさんは、小さな頃からプロ野球選手になることを夢見ていました。

高校進学については、甲子園に行くよりもプロになることを優先して入学する高校を選んだといいます。野球部に入部したときにも「ぼくの目標は甲子園ではありません。プロ野球選手にしてください」と監督に伝えたそうです。結果的には春夏2回の甲子園出場を果たしましたが、高校球児ならだれもが夢見る甲子園よりもプロになることを第一に考えていました。

その考えは高校時代の野球への取り組み方からもわかります。イチローさんは「できるだけ練習しない」をモットーにすごしていました。普通の高校球児なら一生懸命練習するところをイチローさんは「高校のレベルで必死になって、ようやくプロに入れたところで、活躍なんてできない」と考えていたからです。身体を酷使して故障したらプロで活躍できないという考えがあったのでしょう。プロになることを最優先に行動した結果、メジャーでも活躍するスター選手になったのです。

海外でも活躍したイチローさん

Anton_Ivanov/ Shutterstock.com

第4章

うまくいかなくなったらやり方を変える

1

失敗の原因を探ることは宝探しと同じ

★失敗から学べることがある

世界的に成功している人こそ、失敗から学びを得ています。東大の教育心理学者の市川伸一先生は失敗から学ぶことや問題解決後に教訓を引き出すことが効果的な勉強方法であると指摘しています

目標に向かって行動していると失敗してしまうことがあります。そんなときに「もうだめだ。おしまいだ」とあきらめてしまうのではなく、「なぜ失敗したのか」とその原因を考えることが大切です。

失敗の原因を探ることは宝探しと同じです。失敗の原因を見つけるのは難しいですが、見つけることができれば成功へのヒントになります。あなたもふだんの生活で気がつかないうちに失敗を参考に行動を変えているはずです。たとえば友だちとケンカをしてしまったときに、「なんであんなことを言ってしまったんだろう」と考えたりしませんか。失敗すると落ち込みますが、失敗した理由を考え、行動を修正していくことで、成功へと近づいていくことができます。

先生やおうちの人に「今までに失敗したことはある？」と聞いてみれば、さまざまな失敗談を話してくれるかもしれません。どうやってその失敗を乗り越えられたのかを教えてもらえれば、あなた自身の目標達成の助けになるかもしれません。

失敗した原因を見つめ直す

●失敗した原因は何かを分析する

テストの点数が悪かった

失敗した原因を書き出してみる

ケアレスミスが多かった

勉強不足だった

同じ失敗をしないためにはどうするかを考える

〈失敗した原因〉		〈改善案〉
ケアレスミスが多い	→	見直しをしっかりする
勉強不足	→	勉強する時間を増やす

失敗したときに目を背けるのではなく、失敗の原因を考えて、改善していくことが大切です。

考えてみよう

- おうちの人に失敗したことはあるか聞いてみよう！
- 今まで失敗したときに
どんな反省をしたのか思い出してみよう！

2

失敗の原因はコントロールできるものから探す

★よい振り返りと悪い振り返り

一生懸命勉強したのに成績が上がらなかったとき、あなたはどう考えますか。「勉強のやり方が悪かった」「勉強量が足りていなかった」など、いろいろな原因が考えられます。なかには「自分は頭が悪いからだ」と落ち込んでしまう人もいるでしょう。

しかし、「自分の頭が悪いからだ」のような解決が難しいものを原因として考えてしまうと、対処のしようがありません。「自分の力では問題を突破できない」と思ってしまうと心が折れて、次への行動を起こせなくなります。このような状態を心理学の用語では「学習性無力感」と呼びます。

学習性無力感に陥らないためには、失敗の原因を自分がコントロールできることから探す必要があります。急に頭をよくすることは難しく、改善しようにも雲をつかむような話になってしまいます。一方、「勉強のやり方が悪かった」ならやり方を変えればいいだけです。同じように「勉強量が足りなかった」なら勉強する時間を増やせばいいだけなので、今すぐにでも変えることができます。

失敗したときは自分の力で変えられるものから原因を考えるようにしましょう。

失敗の原因のとらえ方によってやる気が変わる

学習性無力感
自分の努力に結果がともわないことを経験していくうちに、何をしても無意味だと思うようになり、たとえ結果を変えられるような場面でも自分から行動を起こさない状態になってしまうこと。

これから先、努力しても何も変わらないんだから、行動しても意味がないよね。

学習性無力感に陥ってしまう人の特徴
- 状況を変える力がないと思い込んでしまう
- どうせダメだと悲観的になってしまう
- 努力は結果に影響しないと思ってしまう

行動する力がわいてこなくなってしまう

▶学習性無力感に陥らないための対策

●うまくいかなかった原因を自分の才能にあると考えない
失敗した原因は自分がコントロールできることから探し、行動を変えたり、行動量を増やすなどして解決に挑む。

●今までに困難を乗り超えたときのことを思い出す
自分の努力で困難を突破した経験は自信につながります。困難を乗り越えたときのことを思い出して、自信をつける。

失敗して自信を失ってしまったとしても、それは自信を忘れているだけかもしれません。過去の成功体験を思い出して、自信を取り戻し、失敗の解決策を考えてみましょう。

考えてみよう

- 「自分には能力がないから無理だ」と思ってしまうことはない？
- 自分の力で変えられる原因はどんなものがある？

3

「PDCA」でよりよい方法を考え直すことも必要

★評価や改善についてよく考えよう

目標に向かう途中で失敗したとき、何かを改善したほうがいいと思うことがあるはずです。しかし、なんとなくこうしたほうがいいかなと考えているだけではうまく改善できません。そんなときに役立つのが「PDCA」です。

① Plan（計画）……どんな行動をするか「計画」を立てる
② Do（実行）……計画に沿って「実行」する
③ Check（評価）……実行した結果を「評価」する
④ Action（改善）……評価をもとに行動を「改善」する

①から④までできたら、再び①に戻って同じことを繰り返し、少しずつ目標達成に近づいていくのです。勉強でPDCAを回すことは自己調整学習と呼ばれ、効率的だといわれています。

多くの人は「計画」と「実行」だけを繰り返して、「評価」や「改善」をあまりしません。そもそもその発想がなかったという人もいるのではないでしょうか。また、失敗したときだけでなく成功したときも「改善」を考えます。そうすることでよりよい結果が期待できます。「なんとなくうまくいっているからこのままでいいや」というのではなく、もっとよい方法を考えることが目標達成への近道になります。

PDCAを使ってみよう

① Plan〈計画〉

目標達成のためにどう行動するか「計画」を立てる

目標達成のための「計画」を立てる。2度目からは④ Action（改善）で考えたことを参考に計画を修正する。

② Do〈実行〉

計画に沿って「実行」する

目標達成に向けて「実行」する。実行するなかでわかった問題点を記録しておく。

③ Check〈評価〉

実行して成功・失敗したことを「評価」する

「なぜ成功したのか」「なぜ失敗したのか」を自分なりに検証し、実行した内容を「評価」する。

④ Action〈改善〉

行動をどう「改善」するか考える

失敗したことに対しては成功するための「改善」策を考え、成功した場合でも「もっとよくできないか」を考える。

なんとなく計画して実行するだけでは、目標達成への道が遠回りになってしまいます。評価や改善を行って効率的に目標に近づきましょう。

考えてみよう

- 失敗しても同じことを繰り返してない？
- 「成功したんだからそのままでいい」と思ってない？

4

ときにはあきらめて目標を再設定する

★無理だと判断したら、別の目標を考える

どうしても目標を達成できないときには、思い切ってその目標をあきらめて、新たな目標を立てるというのもひとつの手です。

たとえば、100 メートルを 10 秒台で走ることを目標にしたとします。しかし、自分なりに一生懸命練習をしていくと、どうやら自分はあまり運動が得意でないことがわかってきました。そんなときは目標の方向転換を考えるのも大事かもしれません。困難な目標には多くの努力と時間が必要になるので、自分の判断であきらめるという選択肢もあります。あきらめたとしても、それまでの経験が無駄になるわけではありません。たとえば、アスリート向けの料理人を目指せば、経験を活かすことができるので、努力が無駄になりません。

目標をあきらめるのはよくないことと思いがちかもしれませんが、みなさんがよく知るような大企業でも方向転換をすることで成功した例があります。たとえば、ハローキティで有名なサンリオは元々は絹を販売する会社でした。しかし絹販売がうまくいかず、かわいいイラストを付けた小物雑貨販売に方向転換したところ、現在のような成功を収めました。「無理かも」と思いながら続けるよりも、思い切って新たな目標を立てたほうが成功に近づけることもあるのです。

方向転換をして成功した企業

Nintendo
《任天堂》

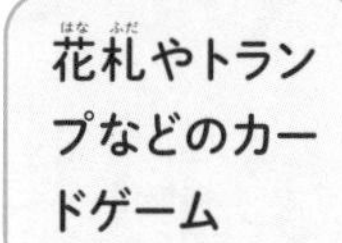
花札やトランプなどのカードゲーム

方向転換

デジタルゲーム機開発・販売。ゲームソフト開発・販売

LAWSON
《ローソン》

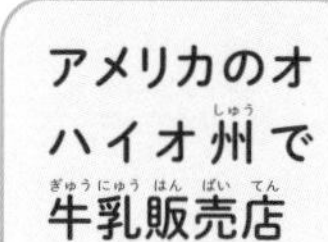
アメリカのオハイオ州で牛乳販売店

方向転換

日用品などの生活必需品を販売するチェーン店へ

mazda
《マツダ》

コルク栓や圧縮コルク板などの製造

方向転換

自動車をはじめとする機械工業

FUJIFILM
《富士フィルム》

写真フィルム・デジタルカメラ

方向転換

フィルム製造技術を活かした化粧品・医薬品

考えてみよう

- 最初に思いついた目標を大事にしすぎてない?
- 無理だと思いながら行動するのは辛いと思わない?

5

不安で立ちすくんでしまうとき行動することが打開策になる

★やれることを考えてみよう

目標に向かう途中でどうしても「このままでいいのだろうか」と不安になってしまうのは、だれにもあることです。自分が成長しているのはわかっていても、このままのやり方で目標を達成できるのかどうかについて悩んでしまうのはしかたがないことです。

「どうしよう」「これは間違っているかも……」と思ってしまうと不安に押しつぶされて身動きが取れなくなってしまうことはあります。ですが、悩むだけで何もしないのではなく、いろいろな方法を試してみましょう。不安を吹き飛ばせるくらい行動量を増やしたり、小さなことでもできることからやってみるのもひとつの方法です。

また考えすぎないことも大切です。考えれば考えるほど、悪いほうへ考えてしまいがちなので、不安があるときは深く考えすぎないことも不安を大きくさせないための方法のひとつです。あなたにとって不安に思うほど難しいことはほかの人にとっても難しいことなのかもしれません。難しいものに立ち向かうときはだれでも不安になるものです。しかし、超えるべき壁が高く、難しいということはそれだけ大きな学びになるチャンスでもあります。チャレンジする気持ちでぶつかるという気持ちに切り替えてみるのもいいでしょう。

不安に対していろいろやってみよう

●行動量を増やす

行動量を増やし、自分の成長を認知できれば自信をつけることができます。自信がつけば不安を払しょくすることができるので、行動量を増やしてみましょう。

●考えすぎない

必要以上に考えすぎてしまうと、悪いほうへ悪いほうへと考えてしまい、不安感が増し深く落ち込んでしまうことがあります。不安なときには考えすぎてしまわないようにしましょう。

●できることからやる

不安にとらわれて動けなくなってしまうと何も変わらず、ますます不安が増大してしまいます。小さなことでもよいので、できることから行動しましょう。

●不安の先にあるものを障害として認識する

不安になるほど難しいものは、あなたにとって大きな学びを得るチャンス、貴重なチャレンジになるでしょう。

難しい目標に立ち向かうとどうしても不安な気持ちが生まれてしまうことがあります。不安を感じたら、どうしたら不安をぬぐいさることができるのかを考えてみましょう。

考えてみよう

- 不安が強すぎて動けなくなったことはない?
- 自信をつけるためにはどうしたらいいと思う?
- 限界まで行動するにはどうしたらいいと思う?

6

やる気が出ないのは目標が低いのかもしれない

★手ごたえのある目標に変えてみよう

イタリアの芸術家ミケランジェロは「最大の危険は目標が高すぎて達成できないことではない。目標が低すぎてその低い目標を達成してしまうことだ」という言葉を残しています。

だれにでもできるような低い目標は簡単に達成できますが、達成の喜びを味わうことができません。人間は目標以上の努力はなかなかできません。低い目標を達成しただけで満足してしまうと成長はできないまま、なんとなくできた気になっただけで終わってしまいます。また達成しても喜びを味わえないので、やる気も出ないという悪循環に陥ってしまいます。

アメリカの心理学者エドウィン・ロックとカナダの心理学者ゲイリー・レイサムの目標設定理論によると「実現可能な範囲で高い目標設定をしたほうがよい」と指摘されています。

高い目標は達成できるかどうかわからないからといって簡単な目標にしてしまうのは「目標を達成すること」が目的になっています。それでは自分の成長に期待はできません。難しい目標は最初は辛く思うかもしれませんが、行動していくうちに情熱が生まれ、自分が思っている以上の力が発揮できることもあるでしょう。

目標が高いとやる気が出る

目標が低い場合
達成感がない
集中力が出ない
《悪循環》
成長しない
やる気が出ない

目標が高い場合
達成感がある
集中力が高まる
《好循環》
成長する
やる気が出る

低い目標は達成感が得られず、成長も実感できないのでやる気が長続きしません。手強くても達成した先に意味がある目標を設定しましょう。

考えてみよう

- 達成感がない目標に対してやる気が出る?
- 難しい目標を達成できたときのことを考えるとやる気がわいてこない?

7

ゴールが遠すぎるとできる気がしなくなる

★身近な目標を考えてみよう

最終的な目標が遠すぎると、目標が見えずにやる気を失ってしまいます。たとえば、「スポーツ選手になりたい」「研究者になりたい」という目標があったとします。学校の成績もよく、なれる可能性が高い人はやる気になるでしょうが、なりたい気持ちはあっても現実味が感じられず、やる気につながらないという人もいるでしょう。

やる気が出ない場合は、いったん身近な目標を考えてみましょう。たとえば「獣医師になる」という目標ではなく、「自分が知らない動物について知る」を目標にすれば、現実味があってやる気が出てきませんか。遠くに自分の理想像を置きつつも、身近な目標に全力をつくすことでやる気を引き出すのです。30ページで説明した中間目標を設定してみるのもいいでしょう。

身近な目標を達成したら次の目標を考えるという行為を繰り返していくうちに、最初に考えていた遠い目標が現実味を帯びてくるはずです。そうしたら、最終目標を遠い目標に定めて、改めて中間目標を設定していくとやる気を切らさずに行動できるでしょう。

人によってやる気の引き出し方は異なるので、自分にとってどんな目標設定の仕方がやる気につながるのか考えてみましょう。

やる気が出ないときは身近な目標を設定する

目標が遠すぎるとやる気を失ってしまう場合

動物が好きだから、将来は動物の助けになる獣医師になるんだ!

動物が好きなのは変わらないんだけど、獣医師になるのは現実味がなくて、どうなんだろう……。

目標を身近に設定した場合

まずはいろいろな動物を知らないとね。動物園や水族館に行って動物についてもっと知ろう!

今まで知らなった動物についてもわかってきたし、今度は動物病院の見学にも行ってみたいな。

目標が遠すぎてやる気につながらないときは、身近なものに目標を定めて、自信がついてから改めて大きな目標を設定してみましょう。

考えてみよう

- 現実味がない目標に対してやる気が出る?
- やる気が出る目標ってどんな目標だろう?

8

うまくいかないときは目標や計画を修正しよう

★立ち止まって考えることも大切

友だちのAさんが「来月のテストに向けて勉強しているけどうまくいかない」と悩んでいるとき、あなたはどんなアドバイスをしますか。テストまでの勉強の計画や方法、勉強する時間などいろいろなアイデアが思い浮かびませんか。自分が目標に向かって行動している途中でうまくいかないと感じたら、友だちに対してアドバイスをするときと同じように「自分に対してのアドバイス」を考えてみましょう。

考えるときのポイントは「目標」「計画」「努力の量」「努力の方法」の4つの方向から考えましょう。

「目標」について考えるときは、目標達成そのものが実現可能なのかを考え、難しい場合は目標を再設定するのもひとつの手です。予定した「計画」の実行が難しいなら、目標達成のためにどんな計画に修正すればいいのかを考えてみましょう。「努力の量」が足りそうにないと思ったら努力する時間を増やす方法を考え、「努力の方法」が間違っていると感じたら、よりよい方法がないかを模索してみましょう。

うまくいっているように見える人でも、白鳥が水の中で必死に水をかいているように努力や挫折を繰り返しながら前進しているものです。うまくいかないときはどうしたらいいのかを考えてみましょう。

修正する4つの要素

目標

目標達成そのものが難しいと感じた場合は、無理にその目標に向かってしまうとやる気を失ってしまいます。努力すれば実現可能な目標に再設定してみましょう。

計画

目標達成までの計画を実行することが難しいなら、そのまま計画を進めてもうまくいきません。目標達成するにはどんな計画に修正すればいいのかを考えてみましょう。

努力の量

努力の量さえ足りていれば目標を達成できそうなら、努力の量を増やす方法を考えてみましょう。時間が足りないなら、どうしたら増やせるのかを検討しましょう。

努力の方法

努力の方法を間違えていると時間を無駄にしてしまうことがあります。思ったより努力の成果が出ないときは、やり方そのものを変えることを考えてみましょう。

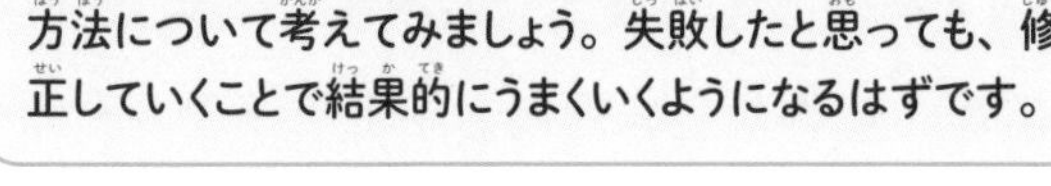
うまくいかないときは、目標、計画、努力の量、努力の方法について考えてみましょう。失敗したと思っても、修正していくことで結果的にうまくいくようになるはずです。

考えてみよう

- 計画を立てたらすべてうまくいくと思う?
- 計画どおりにものごとが進まなかったときどうしたらいいと思う?

9

失敗しても いくらでもやり直せる

★失敗したらおしまいではない

みなさんが幼い頃は、見るもの聞くものすべてに好奇心をいだき、おうちの人にいちいち「これは何？」と聞いたり、何でもさわってたしかめたりしていたはずです。時には物を壊したりもしたかもしれません。幼い頃はすべてが未知の世界で、恐ろしさがあってもひるまずに好奇心がおもむくままに行動していたはずです。

しかし、大きくなってくるにつれてだんだんと恐れのほうが強くなり消極的になってしまうことがあります。未知の世界に対して好奇心がなければ、新たな経験が得られず視野を広げることはできません。

現在の本田技研工業（ホンダ）をつくった本田宗一郎さんは、いろいろな経験を重ねる大切さを語っています（右ページ参照）。自社の社員に向けての言葉ですが、これからの時代を生きるみなさんにも響いてくるメッセージだと思います。人に迷惑をかけなければ、行き過ぎや過ちがあっても「若気の至り」で許されるのだから、怖がる必要はありません。周りの人たちに止められたとしても、自分が正しいと思ったのであればどんどん挑戦していいのです。

若さの特権は特別なものです。その特権を無駄にせず、好奇心に従っていろいろな経験をすることが大切です。

目標について改めて考えてみよう

本田技術研究所の創業者

本田宗一郎

(1906年11月17日-1991年8月5日)
静岡県生まれ。15歳で自動車修理会社に働きに出ます。
その後1946年に本田技術研究所を創業し
一代で大企業に成長させました。

私はつねづね若い社員に言っている。
「前世紀の考え方から一歩も出られない先輩から"いい社員"だ
なんていわれるようじゃ、その先輩以上に伸びやしない。
上司の顔色ばかりうかがって萎縮して生きるような人間は、
日進月歩する現代には通用しない。
先輩ににらまれるのを恐れていないで、若者らしく
勇気をもっていろいろ経験し、視野をひろめろ。
ある程度の行き過ぎや過ちがあったとしても、
それが前向きの、正しいと信じた行動であれば、
"若気の至り"として許される。
これこそ若さの特権なのだから、
むざむざ浪費してはいけない」と。
仕事にも、人生にも、
大いに「若さ」を発揮することだ。

未知の世界を恐れず、いろいろなことにチャレンジしよう!

考えてみよう

- 失敗したらおしまいだと思っていない?
- おうちの人に幼い頃の自分が
どんな行動をしていたか聞いてみよう

出所:やりたいことをやれ(PHP研究所)

10

失敗を避けようとしすぎて失敗することもある

★失敗を避けると成長できないかも

授業中に先生に質問されたとき、「答えはなんとなくわかるけど、不正解はしたくないから答えなかった」という経験はありませんか。あとになって正解していたことに気がついて、「答えておけばよかった」と後悔してももう遅いのです。

このように失敗を怖がりすぎて行動できないことがあります。しかし、それは本当に失敗していないことになるでしょうか。行動をしなければ成功もしませんし、成長もしません。周りの人が行動することを選んで、成功や失敗を繰り返しながら成長しているのに、あなただけが行動せずに現状維持を続けていたとします。なんだか周りの人に置いていかれている気になりませんか。

経済用語で「機会損失」という言葉があります。行動しなかったことで本来得られるはずの利益を失う損失のことを指します。失敗を恐れて行動しないことも「成長する機会を逃した」という意味で機会損失になっていると思いませんか。

たとえ間違ってしまったとしても、その間違った経験をしたことで同じような間違いをしなくなり、成績の向上につながっていきます。自分の成長のためにも失敗を恐れずに行動してみましょう。

失敗を怖がりすぎると成長できない

失敗するのは怖い……。

失敗してもしょうがないと思って行動しよう！

失敗を怖がりすぎるAさん

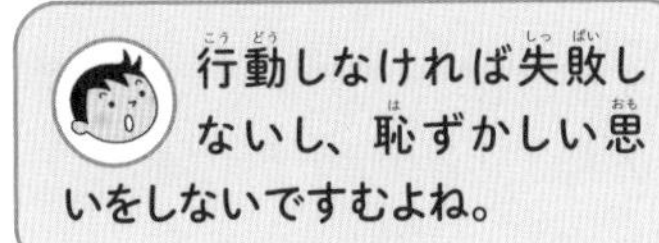
行動しなければ失敗しないし、恥ずかしい思いをしないですむよね。

絶対に成功するって思えるまでは動かないでおこう。

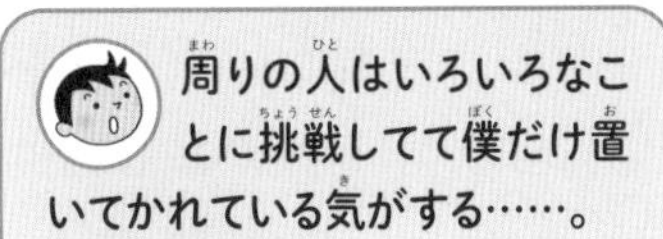
周りの人はいろいろなことに挑戦してて僕だけ置いてかれている気がする……。

失敗を怖がらないBさん

できるかどうかなんてわからないからとにかく行動しよう。

失敗したけど、学びもあった。反省して行動を変えてみようっと。

前より成長している気がするし、目標に近づけているね。

失敗を恐れて行動しないと周りの人に置いていかれてしまいます。失敗して成長する人と、何もせずに成長できない人のどちらがよいと思いますか？

考えてみよう

- 行動しないで目標を達成できると思う？
- 失敗を怖がりすぎて行動できなかった経験はない？

COLUMN

強い目的意識と達成意欲 / 本庶佑さん

がんに対する新たな治療薬を開発したことで2018年にノーベル医学・生理学賞を受賞した本庶佑さんの座右の銘は「有志竟成」です。この言葉は中国の歴史書に由来し、「志を曲げることなく堅持していれば、必ず成しとげられる。一見すると困難のようにみえても、固い信念を以て事に当たれば遂には実現される」という意味です。志というのは、「心のなかにある目的意識」や「目的を成しとげようとする強い意欲」といった意味で、つまり強い目的意識とそれを達成しようとする強い意欲があれば、困難なことがあってもいつか実現するというのが、本庶さんの考えです。また「教科書に書いてあることを全部正しいと思ったら、それでおしまい」とも語っており、つねに疑いを持って、不思議だと思う心を大切にし、好奇心のおもむくままに突き詰めることが研究者には必要だとも言います。

本庶さんはこの考えのもと、ノーベル賞の賞金をもとに「本庶佑有志基金」を設立し、高い理想を持つ若手の研究者に対して研究資金の援助を行っています。

ノーベル賞を受賞した本庶さん

第5章

周りの人とともに目標に向かう

1

同じ目標を持つ人がいるとやる気が出る

★仲間とともにいることで生まれるパワー

仲のいい友だちとあなたが「次のテストで100点取るぞ」という共通の目標を立てたら「お互いがんばろう」とやる気がわいてくると思いませんか。テストにかぎらずスポーツでもゲームでも、同じ目標を持つ仲間がいるとやる気が出て自分自身の力を引き出されるのはよくあることです。

同じ目標を持つ仲間がいると「自ら進んで努力する」動力源になります。34ページで説明したように、イヤイヤやっているときと自分が納得して行動するときとでは、目標達成に向かうパワーが断然に変わります。さらに近い目標を持つ友だちがいれば、お互いに切磋琢磨し、場合によってはアドバイスを送りあい、ともに高みを目指すことができます。

ただし勘違いしてはいけないのは、友だちに勝つことが目的になってしまってはダメだということです。友だちに勝つことに満足して、目標を達成する前に満足してしまっては意味がありません。最終的に目指すのは自分が設定した目標を達成することです。

友だちとともに辛さも楽しさも共有しながら、自分に活力を与えつつ、最終的な自分の目標を見失わないことが大切なのです。

同じ目標の知り合いを持つメリット

●お互いに楽しさや辛さを共有する

勉強するのが辛くなってきたよ。

僕も辛いけど、あきらめないで一緒にがんばろう。

★同じ目標を持つ人がいると辛さや楽しさを共有し、あきらめずにがんばるための動力源になる。

●お互いにアドバイスを送りあうことができる

私は算数が得意だから教えてあげられるよ。

私は国語なら教えてあげられるよ。

★お互い苦手な部分についてのアドバイスを送りあい、目標に向けて力を合わせて行動できる。

友だちとはライバル関係と協力関係を築けると目標に向かうための活力になります。ただし、あくまで目標を達成することが大事だということを忘れてはいけません。

考えてみよう

- 同じ目標を持つ友だちはいる?
- 友だちと一緒に目標に向かってよかったと思ったことはない?

2

迷ったときは人に聞いてみる

★第三者からのアドバイスは役立つ

問題に直面したとき、ひとりで「うーん」と悩んでしまうことはありませんか。ひとりで悩んでいても答えが出ないときがあります。そもそも悩んでいる内容自体が答えのないものかもしれません。悩みながら進んでいても「本当にこれでいいのか？」という不安がつきまとい、全力を出せなくなってしまう場合もあります。

そんなときは悩みをひとりで抱え込まずに、友だちやおうちの人に聞いてみましょう。自分が進んでいる道についてほかの人から肯定的な意見がもらえればやる気が高まり、不安が払しょくできます。また、肯定的な意見がもらえなくても、お互い意見を交換することでよりよい道を探すことができます。

人に聞くことで自分だけでは気づけないことに気づかせてくれることもあります。自身では意外と自分の長所や欠点をわかっていません。ほかの人からしてみればすごいことでも、自分では簡単にできていると「そんなの普通だよ」と思ってしまったり、苦手なことを必要以上に困難なものだと思ってしまうことはあります。ほかの人から話を聞いてみることで自分の長所や欠点が明確になり、目標達成のための新しい道を切り開くことができるかもしれません。

ひとりで迷っていても解決しない

このやり方のままでいいのかな……。

ひとりで悩むと不安に押しつぶされてしまう

何が正しいのかわからなくてやる気が出ない……。

このやり方でいいのかおうちの人に聞いてみよう。

人に聞くと迷いが晴れやすい。

「このままで大丈夫」って言われたし、このままがんばるぞ!

悩んだときはひとりで抱え込まず、人に聞いてもらいましょう。思わぬ視点からの意見で悩みが晴れることもあります。

考えてみよう

- 悩みすぎて不安になったことはない?
- おうちの人や友だちの言葉で自信がついたことはない?

3

目標を周りの人に伝えることで意識を変える

★宣言することでものごとが動き出す

「目標を人に伝えるのは恥ずかしい」「達成するまで内緒にしておきたい」と思う人もいるかもしれませんが、口に出したほうが達成の確率は高まるようです。

人間の心理には「一貫性の原理」というものがあり、自分の発言や行動などを一貫して貫こうとします。そのため、口に出すことで「目標達成に向かって行動をしよう」とする心理が働くわけです。また、目標を口に出すことで、その目標に共感してくれただれかがサポートしてくれる可能性もあります。

たとえば、あなたの周りに「将来ポケモンに関係する仕事がしたい」と言っている人がいて、自分もポケモンが好きだとしたら、その人と話してみたくなりませんか。ほかの人に伝えることで目標に関する情報が自然と集まってくる状況が生まれてきます。さらに集まった情報がきっかけで思わぬチャンスが舞い込んでくる可能性もあります。

人類が初めて月面上に降り立った「アポロ計画」はもともとアメリカのジョン・F・ケネディ大統領が「月に人を送る」と宣言したことがきっかけです。宣言したことによって非常に難しい目標にもかかわらず、多くの人が協力して成功させることができました。

周りの人に伝えることで変わること

〈自分の意識が変わる〉

あ、このニュースって僕の目標の参考になるんじゃない？

● 目標が潜在意識に刷り込まれ、ふとしたことをきっかけにアイデアが思い浮かぶようになる。

〈引けない状況に持ち込む〉

友だちみんなに公言したんだから絶対に達成するぞ！

● 宣言してしまったからには「なんとかしないと」と考え、あきらめずにいろいろな行動を起こせる。

〈サポートしてくれる人が増える〉

将来、ポケモン関係の仕事がしたい！

ゲーム以外にもおもちゃメーカーでもかかわれそうだよね。

ポケモンセンターとかポケモンカフェって手もあるわね。

● 周りの人から情報が集まり、思わぬチャンスが舞い込んでくる可能性が高まる。

目標を公言するといろいろな効果があり、目標を達成する確率が高まります。親や先生、友だちだけでなくSNSで公言するのも効果があります。

考えてみよう

● 伝えることのメリットを考えてみよう！

● 目標に向かってがんばっている人を応援したくならない？

4

夢がある人と話すとモチベーションが上がる

★否定的な人とは話さない

大きな目標を持つ者同士はお互いに励ましあったり、好意的な意見の交換ができるのでやる気が高まります。もしあなたがくじけそうになっても支えてくれるかもしませんし、あなたの言葉が相手を奮起させるきっかけになるかもしれません。そのほかにも相手の行動が参考になることもあります。

そのため、自分と同じくらいの目標を持つ友だちがいることは、お互いの目標に向かう力を強くすることができます。

逆にあなたの夢に否定的な人と話すとやる気を失ってしまう可能性があります。自分が目標に向かって努力した経験すらないのに大きい目標を話す相手をバカにするような人のことを「ドリームキラー」と呼びます。ドリームキラーは悪意なく行っている場合もあります。「あなたのために言っているんだよ」と、相手の目標のデメリットやリスクを伝えているつもりなのですが、それは結果的に相手のやる気を削いでしまいます。

ドリームキラーに対しては、まともに取り合うよりも距離をとったり、話し半分に聞くようにしてあまり意識しないようにしたほうが無難でしょう。

夢に否定的な人との会話はやる気を失う

大きな目標を持つ者同士の会話

将来アイドルになりたくて、歌の練習しているんだ。

え！ すごいね！ 僕も俳優になりたくて演技のレッスンを受けに行ってるんだ！

あなたもすごいね！ 今度教えてほしいな。

好意的な意見の交換ができるので、お互いにやる気を高めることができる。

あなたの夢に否定的な人との会話

将来アイドルになりたいんだよね。

しっかり勉強して安定した職業を目指したほうがいいんじゃないの？

え、でも、あこがれなんだけど……。

あなたの夢に否定的な人との会話はやる気を失わせてしまう可能性がある。

同じくらいの目標を持つ友だちがいると、励ましあったり、意見の交換ができるのでやる気の向上につながります。

考えてみよう

- 励ましあえる友だちはいる？
- 友だちに対して「そんなの無理だよ」と言ってしまったことはない？

COLUMN

逆算して夢をかなえた / 向井千秋さん

アジア人初の女性宇宙飛行士として、1994年と1998年にスペースシャトルに2回搭乗した向井千秋さんは、外科医としても活躍しています。

小学4年生の頃には作文で「将来は医師になりたい」と書いていました。医者になりたいという目標を立ててからは「そのためには医学部に行かなければならないから、医学部への進学率が高い東京の高校へ行こう。公立だから東京に住まなければ」と目標に向かってやるべきことを逆算し、具体的に実行していきました。受験に向けて必死に勉強していくなかで苦手な科目の勉強をするのは大変なことでしたが、「医師になる」ことに一歩ずつ近づいていることを実感することに楽しみを感じ、受験や医師免許試験を乗り越えていきました。向井さんは「本当に実現したい夢が見つかると、人は自然とそこに向かって準備をする」といいます。好きなことを見つけ、本気で目指したい夢に出会えたら、夢を夢で終わらせないためには、人生を逆算して準備をすることが大切なのです。

日本人初の女性宇宙飛行士になった向井さん

第6章

失敗を恐れずに行動を起こす

1

成功している人たちは失敗を経験している

★力が足りていないから努力をする

世界的に有名な人は成功だけしていて失敗なんてしたことがないと思っていませんか。しかし、成功している人ほど多くの失敗をしているものです。もしかしたら普通の人の何十倍もの失敗をしている可能性だってあります。

彼らは失敗をしないのではなく失敗から学ぶことによって成功を勝ち取っているのです。積み重なる数々の失敗は輝かしい成功の影に隠れて見えづらいだけです。「バスケットの神様」と知られるマイケル・ジョーダンさんは、失敗の重要性について語っています。右ページの言葉は、インタビューで成功の理由を聞かれたときに語ったものです。神様と呼ばれるほど才能がある選手でも、その成功の要因は「失敗」だと言っているのです。

失敗することそれ自体は悲しい気持ちになりますし、落ち込むこともあるでしょう。しかし、あなたは絶対失敗しないような完璧な人間なのでしょうか。最初から完璧な人間ならすでに目標達成ずみのはずです。しかし、今はまだ力が足りていないから、目標に向かって努力をしているのです。その過程にある失敗とまじめに向き合って学ぶことが大切です。

失敗を素直に受け入れる

史上最高のバスケットボール選手

マイケル・ジェフリー・ジョーダン

Michael Jeffrey Jordan

（1963年2月17日-）

アメリカ合衆国の元プロバスケットボール選手。1980年代と1990年代のNBAの世界的ブームをけん引した。15年間の選手生活のなかで得点王10回、年間最多得点11回を記録し、平均得点はNBA歴代1位。

「選手人生のなかで9000ショット以上は失敗しています。
ゲームには300回ぐらい負けていますし、
ウイニングショットを任されて26回失敗しました。
私は何度も何度も何度も失敗した。
そして人生においてもまた失敗しました。
それが、成功の理由です」

みなさんは失敗を成功の原因としてとらえることができますか？

考えてみよう

- 失敗と向き合って学びや気づきになったことはない？
- 失敗が成功につながった経験はある？

landmarkmedia / Shutterstock.com

2

目標を中断すると記憶に残りやすい

★最後までやりとげたい気持ちを利用する

テレビを見ている途中で「続きはCMのあと」と表示されたり、インターネットで「続きを読む場合はこちらをクリック」というワードを見たとき、続きが気になってしまった経験はありませんか。

これは旧ソビエト連邦（現ロシア）の心理学者であるブルーマ・ツァイガルニクによって発見された「ツァイガルニク効果」と呼ばれる現象です。終えてしまったものごとに対しては「終わったものだ」とスッキリしますが、中途半端なものごとに対しては「完成させたい」という欲求が生まれ、記憶に残りやすくなります。たとえば、勉強する時間を1時間と決めて、どんな状況でも強制的に勉強を途中でストップさせると「やり残したことが気になる」という気持ちが生まれます。

この効果を利用して「気になる」という気持ちを原動力にして勉強に集中しやすくする環境をつくることができるかもしれません。「制限時間内に気持ちよく終わらせたい」という欲求を高めることで、効率的な勉強をしようという気持ちを働かせることができそうです。同じように「続きが気になる」という気持ちを目標達成にうまく利用してみる方法もあるかもしれません。

中途半端な状態で止めると記憶に残る

ツァイガルニク効果とは

達成したことよりも中断していることのほうをよく覚えている現象のこと。未完了の目標や課題に対してモチベーションを生むことに利用できる。

●勉強にツァイガルニク効果を応用する

勉強を1日1時間に決める。

決まった時間で強制的に勉強をストップする

やり残したことが気になる……。

中途半端な状態で終わり、続きをするというサイクルで勉強をするとやる気をキープしやすくなる

達成していない事がらは強く記憶に残って気になるので、物事に取り組むモチベーション維持につながります。

マンガの続きが気になるのもツァイガルニク効果なのかな?

考えてみよう

●中途半端な状態で止めたものが記憶に残った経験はない?

3

目標を立てる達人になろう

★高い目標を達成するための原動力

目標を立て、行動することはそれだけで自分の成長につながります。自分が成長し続けるためには、目標を立て、行動することが大切です。目標を達成できなくても、精一杯できることをやったのであればしかたがないと考え、次の目標に立ち向かえばよいのです。

自分の行動を振り返りながら、よりよい方法を考えさらなる行動をすることで自分は成長していきます。成長することに喜びを感じれば、目標を達成したかどうかで一喜一憂することもなくなっていきます。もちろん、失敗したら「なぜ失敗したのか」の反省は必要ですが、落ち込みすぎず「次はこうしよう」と頭を切り替えてみましょう。

そうしているうちに「次はこの目標、その次はこの目標」というように次々と目標のアイデアが思い浮かぶようになるはずです。その目標を達成しようと行動することで自分の成長スピードが飛躍的に速くなり、自信もついてきます。

あなたが成長すれば、おうちの人や先生、友だちなどあなたの周りの人も喜んでくれるはずです。そうなれば、さらに高い目標へ向かう原動力になります。そんな目標を立てる達人になれれば、あなたの夢が実現する可能性はきっと高くなっていきます。

夢に近づくために目標を立てる

目標を設定し、計画を立て、実行し、振り返ることでよりよい方法を見つけ出すことで、賢く工夫する力が備わります。すると、どんどん目標の設定や計画を立てることがうまくなり、それは一生の財産になるはずです。

目標設定や計画、実行が人生の財産になる

考えてみよう

- 高い目標へ向かうための原動力はなんだと思う？
- 成長し続ければ、いつか夢がかなえられると思わない？

【参考文献】
●『モチベーションの社会心理学』(かもがわ出版)
竹橋洋毅・著

●『やってのける』(大和書房)
ハイディ・グラント・ハルバーソン・著、児島修・翻訳

●『マインドセット「やればできる!」の研究』(草思社)
キャロル・S・ドゥエック・著、今西康子・翻訳

●『計算ずくで目標達成する本』(すばる舎)
伊庭正康・著

●「自分を動かす方法』(東洋経済新報社)
アイエレット・フィッシュバック・著、上原裕美子・翻訳

●『最高の結果を出す 目標達成の全技術』(日本実業出版社)
三谷淳・著

【制作スタッフ】
執筆・編集 …………………… バウンド
本文デザイン …………… 山本真琴(design.m)
イラスト …………………… 瀬川尚志
DTP ………………………… バウンド

さくいん

【監修者プロフィール】

竹橋洋毅（たけはし・ひろき）

● 奈良女子大学文学部人間科学科准教授

1978年愛知県生まれ。名古屋大学文学部卒業。名古屋大学大学院環境学研究科を修了。博士（心理学）。専門は社会心理学と教育心理学で、モチベーション（やる気）の心理について研究・実践している。著書に『モチベーションの社会心理学』（かもがわ出版）、『非認知能力：概念・測定と教育の可能性』（北大路書房。分担執筆）などがある。

こども目標達成教室

夢をかなえるために何が必要なのかがわかる本

発行日／2024年5月27日　初版

監修 …… 竹橋洋毅
著者 …… バウンド
装丁者 …… 山本真琴（design.m）
発行人 …… 坪井義哉
発行所 …… 株式会社カンゼン
〒101-0021　東京都千代田区外神田2-7-1 開花ビル
TEL …… 03（5295）7723
FAX …… 03（5295）7725
URL …… https://www.kanzen.jp/
郵便振替 …… 00150-7-130339
印刷・製本 …… 株式会社シナノ

VEGETABLE
OIL INK

ISBN 978-4-86255-722-3
Printed in Japan　定価はカバーに表示してあります。